Lygia Fagundes Telles

Antes do Baile Verde

Contos

POSFÁCIO DE
Antonio Dimas

COMPANHIA DAS LETRAS

Grafia atualizada segundo o Acordo
Ortográfico da Língua Portuguesa de 1990,
que entrou em vigor no Brasil em 2009.

CAPA E PROJETO GRÁFICO
warrakloureiro
sobre detalhe de *Menino com Tambor*,
de Beatriz Milhazes, 1992, acrílica sobre tela,
110 x 200 cm. Coleção particular.

FOTO DA AUTORA
Adriana Vichi

PREPARAÇÃO
Cristina Yamazaki/ Todotipo Editorial

REVISÃO
Marise Leal
Angela das Neves

Dados Internacionais de Catalogação na Publicação (CIP)
(Câmara Brasileira do Livro, SP, Brasil)

Telles, Lygia Fagundes
Antes do Baile Verde: contos / Lygia Fagundes Telles; posfácio
de Antonio Dimas. — São Paulo : Companhia das Letras, 2009.

ISBN 978-85-359-1431-3
1. Contos brasileiros I. Dimas, Antonio. II. Título

09-02177 CDD-869.93

Índice para catálogo sistemático:
1. Contos : Literatura brasileira 869.93

11ª reimpressão

[2014]

EDITORA SCHWARCZ S.A.
Rua Bandeira Paulista, 702, cj. 32
04532-002 — São Paulo — SP
Telefone: (11) 3707-3500
Fax: (11) 3707-3501
www.companhiadasletras.com.br
www.blogdacompanhia.com.br

Antes do Baile Verde

Coleção Lygia Fagundes Telles

LIVROS DE LYGIA FAGUNDES TELLES
PUBLICADOS PELA COMPANHIA DAS LETRAS

Ciranda de Pedra 1954, 2009
Verão no Aquário 1963, 2010
Antes do Baile Verde 1970, 2009
As Meninas 1973, 2009
Seminário dos Ratos 1977, 2009
A Disciplina do Amor 1980, 2010
As Horas Nuas 1989, 2010
A Estrutura da Bolha de Sabão 1991, 2010
A Noite Escura e Mais Eu 1995, 2009
Invenção e Memória 2000, 2009
Durante Aquele Estranho Chá 2002, 2010
Histórias de Mistério, 2002, 2010
Passaporte para a China, 2011
O Segredo e outras histórias de descoberta, 2012

Para meu filho Goffredo

Sumário

ANTES DO BAILE VERDE
Os Objetos 11
Verde Lagarto Amarelo 19
Apenas um Saxofone 31
Helga 41
O Moço do Saxofone 49
Antes do Baile Verde 57
A Caçada 67
A Chave 73
Meia-Noite em Ponto em Xangai 83
A Janela 91
Um Chá Bem Forte e Três Xícaras 99
O Jardim Selvagem 105
Natal na Barca 115
A Ceia 121
Venha Ver o Pôr do Sol 135
Eu Era Mudo e Só 145
As Pérolas 155
O Menino 167

SOBRE LYGIA FAGUNDES TELLES E ESTE LIVRO

Posfácio — *Garras de Veludo*, Antonio Dimas 181
Carta — Carlos Drummond de Andrade 197
Depoimento — *A Beleza Secreta da Vida*,
Urbano Tavares Rodrigues 199
A Autora 203

Antes do Baile Verde

Os Objetos

Finalmente pousou o olhar no globo de vidro e estendeu a mão.

— Tão transparente. Parece uma bolha de sabão, mas sem aquele colorido de bolha refletindo a janela, tinha sempre uma janela nas bolhas que eu soprava. O melhor canudo era o de mamoeiro. Você também não brincava com bolhas? Hein, Lorena?

Ela esticou entre os dedos um longo fio de linha vermelha preso à agulha. Deu um nó na extremidade da linha e, com a ponta da agulha, espetou uma conta da caixinha aninhada no regaço. Enfiava um colar.

— Que foi?

Como não viesse a resposta, levantou a cabeça. Ele abria a boca, tentando cravar os dentes na bola de vidro. Mas os dentes resvalavam, produzindo o som fragmentado de pequenas castanholas.

— Cuidado, querido, você vai quebrar os dentes!

Ele rolou o globo até a face e sorriu.

— Aí eu compraria uma ponte de dentes verdes como o

mar com seus peixinhos ou azuis como o céu com suas estrelas, não tinha uma história assim? Que é que era verde como o mar com seus peixinhos?

— O vestido que a princesa mandou fazer para a festa.

Lentamente ele girou o globo entre os dedos, examinando a base pintalgada de cristais vermelhos e verdes.

— Como um campo de flores. Para que serve isto, Lorena?

— É um peso de papel, amor.

— Mas se não está pesando em nenhum papel — estranhou ele, lançando um olhar à mesa. Pousou o globo e inclinou-se para a imagem de um anjo dourado, deitado de costas, os braços abertos. — E este anjinho? O que significa este anjinho?

Com a ponta da agulha ela tentava desobstruir o furo da conta de coral. Franziu as sobrancelhas.

— É um anjo, ora.

— Eu sei. Mas para que serve? — insistiu. E apressando-se antes de ser interrompido: — Veja, Lorena, aqui na mesa este anjinho vale tanto quanto o peso de papel sem papel ou aquele cinzeiro sem cinza, quer dizer, não tem sentido nenhum. Quando olhamos para as coisas, quando tocamos nelas é que começam a viver como nós, muito mais importantes do que nós, porque continuam. O cinzeiro recebe a cinza e fica cinzeiro, o vidro pisa o papel e se impõe, esse colar que você está enfiando... É um colar ou um terço?

— Um colar.

— Podia ser um terço?

— Podia.

— Então é você que decide. Este anjinho não é nada, mas se toco nele vira anjo mesmo, com funções de anjo. — Segurou-o com força pelas asas. — Quais são as funções de um anjo?

Ela deixou cair na caixa a conta obstruída e escolheu outra. Experimentou o furo com a ponta da agulha.

— Sempre ouvi dizer que anjo é o mensageiro de Deus.

— Tenho então uma mensagem para Deus — disse ele e

encostou os lábios na face da imagem. Soprou três vezes, cerrou os olhos e moveu os lábios murmurejantes. Tateou-lhe as feições como um cego. — Pronto, agora sim, agora é um anjo vivo.

— E o que foi que você disse a ele?

— Que você não me ama mais.

Ela ficou imóvel, olhando. Inclinou-se para a caixinha de contas.

— Adianta dizer que não é verdade?

— Não, não adianta. — Colocou o anjo na mesa. E apertou os olhos molhados de lágrimas, de costas para ela e inclinado para o abajur. — Veja, Lorena, veja... Os objetos só têm sentido quando têm sentido, fora disso... Eles precisam ser olhados, manuseados. Como nós. Se ninguém me ama, viro uma coisa ainda mais triste do que essas, porque ando, falo, indo e vindo como uma sombra, vazio, vazio. É o peso de papel sem papel, o cinzeiro sem cinza, o anjo sem anjo, fico aquela adaga ali fora do peito. Para que serve uma adaga fora do peito? — perguntou e tomou a adaga entre as mãos. Voltou-se, subitamente animado. — É árabe, hein, Lorena? Uma meia-lua de prata tão aguda... Fui eu que descobri esta adaga, lembra? Estava na vitrina, quase escondida debaixo de uma bandeja, lembra?

Ela tomou entre as pontas dos dedos o fio de coral e balançou-o num movimento de rede.

— Ah, não fale isso! Se você soubesse como gostei daquela bandeja, acho que nunca mais vou gostar de uma coisa assim... Se pudesse, tomava já um avião, voltava lá no antiquário do grego barbudo e saía com ela debaixo do braço. As alças eram cobrinhas se enroscando em folhas e cipós, umas cobrinhas com orelhas, fiquei apaixonada pelas cobrinhas.

— Mas por que você não comprou?

— Era caríssima, amor. Nossos dólares estavam no fim, o pouco que restou só deu para essas bugigangas.

— Fale baixo, Lorena, fale baixo! — suplicou ele num tom que a fez levantar a cabeça num sobressalto. Tranquilizou-se quando o viu sacudindo as mãos, afetando pânico. — Chamar a adaga e o anjo de bugigangas, que é isso! O anjo vai correndo contar para Deus.

— Não é um anjo intrigante — advertiu, encarando-o. — E antes que me esqueça, você diz que se ninguém nos ama, viramos coisa fora de uso, sem nenhuma significação, certo? Pois saiba o senhor que muito mais importante do que sermos amados é amar, ouviu bem? É o que nos distingue desse peso de papel que você vai fazer o favor de deixar em cima da mesa antes que quebre, sim?

— O vidro já está ficando quente — disse e fechou o globo nas mãos. Levou-o ao ouvido, inclinou a cabeça e falou brandamente como se ouvisse o que foi dizendo: — Quando eu era criança, gostava de comer pasta de dente.

— Que marca?

— Qualquer marca. Tinha uma com sabor de hortelã, era ardido demais e eu chorava de sofrimento e gozo. Minha irmãzinha que tinha dois anos comia terra.

Ela riu.

— Que família!

Ele riu também, mas logo ficou sério. Sentou-se diante dela, juntou as pernas e colocou o globo nos joelhos. Cercou-o com as mãos em concha, num gesto de proteção. Inclinou-se, bafejando sobre o globo.

— Lorena, Lorena, é uma bola mágica!

Voltada para a luz, ela enfiava uma agulha. Umedeceu a ponta da linha, ergueu a agulha na altura dos olhos estrábicos na concentração e fez a primeira tentativa. Falhou. Mordiscou de novo a linha e com um gesto incisivo foi aproximando a linha da agulha. A ponta endurecida do fio varou a agulha sem obstáculo.

— A cópula.

— Que foi? — perguntou ela, relaxando os músculos. Voltou-se satisfeita para a caixa de contas. — Que foi, amor?

Ele cobriu o globo com as mãos. Bafejou sobre elas.

— É uma bola de cristal, Lorena — murmurou com voz

pesada. Suspirou gravemente. — Por enquanto só vejo assim uma fumaça, tudo tão embaçado...

— Insista, Miguel. Não está clareando?

— Mais ou menos... espera, a fumaça está sumindo, agora está tão mais claro, puxa, que nítido! O futuro, Lorena, estou vendo o futuro! Vejo você numa sala... é esta sala! Você está de vermelho, conversando com um homem.

— Que homem?

— Espera, ele ainda está um pouco longe... Agora vejo, é seu pai. Ele está aflito e você procura acalmá-lo.

— Por que está aflito?

— Porque ele quer que você me interne e você está resistindo, mas tão sem convicção. Você está cansada, Lorena querida, você está quase chorando e diz que estou melhor, que estou melhor...

Ela endureceu a fisionomia. Limpou a unha com a ponta da agulha.

— E daí?

— Daí seu pai disse que não melhorei coisa nenhuma, que não há esperança — repetiu ele inclinando-se, as mãos nos olhos em posição de binóculo postado no globo. — Espera, está entrando alguém de modo tão esquisito... eu, sou eu! Estou entrando de cabeça para baixo, andando com as mãos, plantei uma bananeira e não consegui voltar.

Ela enrolou o fio de contas no pescoço, segurando firme a agulha para as contas não escaparem. Riu, alisando as contas.

— Plantar bananeira justo nessa hora, amor? Por que você não ficou comportadinho? Hum?... E o que foi que meu pai fez?

— Baixou a cabeça para não me ver mais. Você então me olhou, Lorena. E não achou nenhuma graça em mim. Antes você achava.

Vagarosamente ela foi recolhendo o fio. Deslizou as pontas dos dedos pelas contas maiores, alinhando-as.

— Fico sempre com medo que você desabe e quebre

o vaso, os copos. E depois, cai tudo dos seus bolsos, uma desordem.

Ele recolocou o peso na mesa. Encostou a cabeça na poltrona e ficou olhando para o teto.

— Tinha um lustre na vitrina do antiquário, lembra? Um lustre divertido, cheio de pingentes de todas as cores, uns cristaizinhos balançando com o vento, blim-blim... Estava ao lado da gravura.

— Que gravura?

— Aquela já carunchada, tinha um nome pomposo, *Os Funerais do Amor*, em italiano fica bonito, mas não sei mais como é em italiano. Era um cortejo de bailarinos descalços carregando guirlandas de flores, como se estivessem indo para uma festa. Mas não era uma festa, estavam todos tristes, os amantes separados e chorosos atrás do amor morto, um menininho encaracolado e nu, estendido numa rede. Ou num coche?... Tinha flores espalhadas pela estrada, o cortejo ia indo por uma estrada. Um fauno menino consolava a amante tão pálida, tão dolorida...

Ela concentrou-se.

— Esse quadro estava na vitrina?

— Perto do lustre que fazia blim-blim.

— Não sei, mas assim como você descreveu é triste demais. Juro que não gostaria de ter um quadro desses em casa.

— Mais triste ainda era o anão.

— Tinha um anão na gravura?

— Não, ele não estava na gravura, estava perto.

— Mas... era um anão de jardim?

— Não, era um anão de verdade.

— Tinha um anão na loja?

— Tinha. Estava morto, um anão morto, de *smoking*, o caixão estava na vitrina. Luvas brancas e sapatinhos de fivela. Tudo nele era brilhante, novo, só as rosas estavam velhas. Não deviam ter posto rosas assim velhas.

— Eram rosas brancas? — perguntou ela guardando o fio

de contas na caixa. Baixou a tampa com um baque metálico.

— Eram rosas brancas?

— Brancas.

— As rosas brancas murcham mais depressa. E fazia calor.

Ele inclinou a cabeça para o peito e assim ficou, imóvel, os olhos cerrados, as pálpebras crispadas. O cigarro apagou-se entre seus dedos.

— Lorena...

— Hum?

— Vamos tomar um chá. Um chá com biscoitos, quero biscoitos.

Ela levantou-se. Fechou o livro que estava lendo.

— Ótimo, faço o chá. Só que o biscoito acabou, posso arrumar umas torradas, bastante manteiga, bastante sal. Hum?

— Eu vou comprar os biscoitos — disse ele, tomando-lhe a cabeça entre as mãos. — Minha linda Lorena. Biscoitos para a linda Lorena.

Ela desvencilhou-se rápida.

— Vou pôr água para ferver. Pega o dinheiro, está na minha bolsa.

— No armário?

— Não, em cima da cama, uma bolsa verde.

Ele foi ao quarto, abriu a bolsa e ficou olhando para o interior dela. Tirou o lenço manchado de ruge. Aspirou-lhe o perfume. Deixou cair o lenço na bolsa, colocou-a com cuidado no mesmo lugar e voltou para a sala. Pela porta entreaberta da cozinha pôde ouvir o jorro da torneira. Saiu pisando leve. No elevador, evitou o espelho. Ficou olhando para os botões, percorrendo com o dedo um por um até chegar ao botão preto com a letra *T*, invisível de tão gasta. O elevador já descia e ele continuava com o dedo no botão, sem apertá-lo, mas percorrendo-o num movimento circular, acariciante. Quando ela gritou, só seus olhos se desviaram na direção da voz vindo lá de cima e tombando já meio apagada no poço.

— Miguel, onde está a adaga?! Está me ouvindo, Miguel? A adaga!

Ele abriu a porta do elevador.

— Está comigo.

O porteiro ouviu e foi-se afastando de costas. Teve um gesto de exagerada cordialidade.

— Uma bela noite! Vai passear um pouco?

Ele parou, olhou o homem. Apressou o passo na direção da rua.

Verde Lagarto Amarelo

Ele entrou com seu passo macio, sem ruído, não chegava a ser felino: apenas um andar discreto. Polido.

— Rodolfo! Onde está você?... Dormindo? — perguntou quando me viu levantar da poltrona e vestir a camisa. Baixou o tom de voz. — Está sozinho?

Ele sabe muito bem que estou sozinho, ele sabe que sempre estou sozinho.

— Estava lendo.

— Dostoiévski?

Fechei o livro e não pude deixar de sorrir. Nada lhe escapava.

— Queria lembrar uma certa passagem... Só que está quente demais, acho que este é o dia mais quente desde que começou o verão.

Ele deixou a pasta na cadeira e abriu o pacote de uvas roxas.

— Estavam tão maduras, olha só que beleza — disse tirando um cacho e balançando-o no ar como um pêndulo. — Prova! Uma delícia.

Com um gesto casual, atirei meu paletó em cima da mesa, cobrindo o rascunho de um conto que começara naquela manhã.

— Já é tempo de uvas? — perguntei colhendo um bago.

Era enjoativo de tão doce mas se eu rompesse a polpa cerrada e densa sentiria seu gosto verdadeiro. Com a ponta da língua pude sentir a semente apontando sob a polpa. Varei-a. O sumo ácido inundou-me a boca. Cuspi a semente: assim queria escrever, indo ao âmago do âmago até atingir a semente resguardada lá no fundo como um feto.

— Trouxe também uma coisa... Mostro depois.

Encarei-o. Quando ele sorria ficava menino outra vez. Seus olhos tinham o mesmo brilho úmido das uvas.

— Que coisa?

— Mas se eu já disse que é surpresa! Mostro depois.

Não insisti. Conhecia de sobra aquela antiga expressão com que vinha me anunciar que tinha algo escondido no bolso ou debaixo do travesseiro. Acabava sempre por me oferecer seu tesouro: a maçã, o cigarro, a revistinha pornográfica, o pacote de suspiros, mas antes ficava algum tempo me rondando com aquele ar de secreto deslumbramento.

— Vou fazer um café — anunciei.

— Só se for para você, tomei há pouco na esquina.

Era mentira. O bar da esquina era imundo e para ele o café fazia parte de um ritual nobre, limpo. Dizia isso para me poupar, estava sempre querendo me poupar.

— Na esquina?

— Quando comprei as uvas...

Meu irmão. O cabelo louro, a pele bronzeada de sol, as mãos de estátua. E aquela cor nas pupilas.

— Mamãe achava que seus olhos eram cor de violeta.

— Cor de violeta?

— Foi o que ela disse à tia Débora, meu filho Eduardo tem os olhos cor de violeta.

Ele tirou o paletó. Afrouxou a gravata.

— Como é que são olhos cor de violeta?

— Cor de violeta — eu respondi abrindo o fogareiro.

Ele riu apalpando os bolsos do paletó até encontrar o cigarro.

— Meu Deus, tinha um canteiro de violetas no jardim de casa... Não eram violetas, Rodolfo?

— Eram violetas.

— E uma parreira, lembra? Nunca conseguimos um cacho maduro daquela parreira — disse amarfanhando com um gesto afetuoso o papel das uvas. — Até hoje não sei se eram doces. Eram doces?

— Também não sei, você não esperava amadurecer.

Vagarosamente ele tirou as abotoaduras e foi dobrando a manga da camisa com aquela arte toda especial que tinha de dobrá-la sem fazer rugas, na exata medida do punho. Os braços musculosos de nadador. Os pelos dourados. Fiquei a olhar as abotoaduras que tinham sido do meu pai.

— A Ofélia quer que você almoce domingo com a gente. Ela releu seu romance e ficou no maior entusiasmo, gostou ainda mais do que da primeira vez, você precisa ver com que interesse analisou as personagens, discutiu os detalhes...

— Domingo já tenho um compromisso — eu disse enchendo a chaleira de água.

— E sábado? Não me diga que sábado você também não pode.

Aproximei-me da janela. O sopro do vento era ardente como se a casa estivesse no meio de um braseiro. Respirei de boca aberta agora que ele não me via, agora que eu podia amarfanhar a cara como ele amarfanhara o papel. Esfreguei nela o lenço, até quando, até quando?!... E me trazia a infância, será que ele não vê que para mim foi só sofrimento? Por que não me deixa em paz, por quê? Por que tem que vir aqui e ficar me espetando, não quero lembrar nada, não quero saber de nada! Fecho os olhos. Está amanhecendo e o sol está longe, tem brisa na campina, cascata, orvalho gelado deslizando na corola, chuva fina no meu cabelo, a montanha e o vento, todos os ventos soprando. Os ventos! Vazio. Imobilidade e vazio. Se eu ficar assim imóvel, respirando leve, sem ódio, sem amor, se eu ficar assim um instante, sem pensamento, sem corpo...

— E sábado? Ela quer fazer aquela torta de nozes que você adora.

— Cortei o açúcar, Eduardo.

— Mas saia um pouco do regime, você emagreceu, não emagreceu?

— Ao contrário, engordei. Não está vendo? Estou enorme.

— Não é possível! Assim de costas você me pareceu tão mais magro, palavra que eu já ia perguntar quantos quilos você perdeu.

Agora a camisa se colava ao meu corpo. Limpei as mãos viscosas no peitoril da janela e abri os olhos que ardiam, o sal do suor é mais violento do que o sal das lágrimas. "Esse menino transpira tanto, meus céus! Acaba de vestir roupa limpa e já começa a transpirar, nem parece que tomou banho. Tão desagradável!..." Minha mãe não usava a palavra *suor* que era forte demais para seu vocabulário, ela gostava das belas palavras. Das belas imagens. Delicadamente falava em transpiração com aquela elegância em vestir as palavras como nos vestia. Com a diferença que Eduardo se conservava limpo como se estivesse numa redoma, as mãos sem poeira, a pele fresca. Podia rolar na terra e não se conspurcava, nada chegava a sujá-lo realmente porque mesmo através da sujeira podia se ver que estava intacto. Eu não. Com a maior facilidade me corrompia lustroso e gordo, o suor a escorrer pelo pescoço, pelos sovacos, pelo meio das pernas. Não queria suar, não queria mas o suor medonho não parava de escorrer manchando a camisa de amarelo com uma borda esverdinhada, suor de bicho venenoso, traiçoeiro, malsão. Enxugava depressa a testa, o pescoço, tentava num último esforço salvar ao menos a camisa. Mas a camisa já era uma pele enrugada aderindo à minha com meu cheiro, com a minha cor. Era menino ainda mas houve um dia em que quis morrer para não transpirar mais.

— Na noite passada sonhei com nossa antiga casa — disse ele aproximando-se do fogareiro. Destapou a chaleira, espiou dentro. — Não me lembro bem mas parece que a casa estava abandonada, foi um sonho estranho...

— Também sonhei com a casa mas já faz tempo — eu disse.

Ele aproximou-se. Esquivei-me em direção ao armário. Tirei as xícaras.

— Mamãe apareceu no seu sonho? — perguntou ele.

— Apareceu. O pai tocava piano e mamãe...

Rodopiávamos vertiginosos numa valsa e eu era magro, tão magro que meus pés mal roçavam o chão, senti mesmo que levantavam voo e eu ria enlaçando-a em volta do lustre quando de repente o suor começou a escorrer, escorrer.

— Ela estava viva?

Seu vestido branco se empapava do meu suor amarelo-verde mas ela continuava dançando, desligada, remota.

— Estava viva, Rodolfo?

— Não, era uma valsa póstuma — eu disse colocando na frente dele a xícara perfeita. Reservei para mim a que estava rachada. — Está reconhecendo essa xícara?

Ele tomou-a pela asa. Examinou-a. Sua fisionomia se iluminou com a graça de um vitral varado pelo sol.

— Ah!... as xicrinhas japonesas. Sobraram muitas ainda?

O aparelho de chá, o faqueiro, os cristais e os tapetes tinham ficado com ele. Também os lençóis bordados, obriguei-o a aceitar tudo. Ele recusava, chegou a se exaltar, "Não quero, não é justo, não quero! Ou você fica com a metade ou então não aceito nada! Amanhã você pode se casar também...". Nunca, respondi. Moro só, gosto de tudo sem nenhum enfeite, quanto mais simples melhor. Ele parecia não ouvir uma só palavra enquanto ia amontoando os objetos em duas porções, "Olha, isto você leva que estava no seu quarto...". Tive que recorrer à violência. Se você teimar em me deixar essas coisas, assim que você virar as costas jogo tudo na rua! Cheguei a agarrar uma jarra, No meio da rua! Ele empalideceu, os lábios trêmulos. "Você jamais faria isso, Rodolfo. Cale-se, por favor, que você não sabe o que está dizendo." Passei as mãos na cara ardente. E a voz da minha mãe vindo das cinzas: "Rodolfo, por que você há de entristecer seu irmão? Não vê que ele está sofrendo? Por que você faz assim?!". Abracei-o. Ouça, Eduardo, sou um tipo mesmo esquisito, você está farto de saber que sou meio louco. Não quero, não sei explicar mas não quero, está me entendendo? Leve tudo à Ofélia, presente meu. Não posso dar a vocês um presente de casamento? Para não dizer que não fico com nada, olha... está aqui, pronto, fico com essas xícaras!

— Finas como casca de ovo — disse ele batendo com a unha na porcelana. — Ficavam na prateleira do armário rosado, lembra? Esse armário está na nossa saleta.

Despejei água fervente na caneca. O pó de café foi se diluindo resistente, difícil. Minha mãe. Depois, Ofélia. Por que não haveria de ficar também com os lençóis?

— E Ofélia? Para quando o filho?

Ele apanhou a pilha de jornais velhos que estavam no chão, ajeitou-a cuidadosamente e esboçou um gesto de procura, devia estar sentindo falta de um lugar certo para serem guardados os jornais já lidos. Teve uma expressão de resignado bom humor, mas então a desordem do apartamento comportava um móvel assim supérfluo? Enfiou a pilha na prateleira da estante e voltou-se para mim. Ficou me seguindo com o olhar enquanto eu procurava no armário debaixo da pia a lata onde devia estar o açúcar. Uma barata fugiu atarantada, escondendo-se debaixo de uma tampa de panela e logo uma outra maior se despencou não sei de onde e tentou também o mesmo esconderijo. Mas a fresta era estreita e ela mal conseguiu esconder a cabeça, ah, o mesmo humano desespero na procura de um abrigo. Abri a lata de açúcar e esperei que ele dissesse que havia um novo sistema de acabar com as baratas, era facílimo, bastava chamar pelo telefone e já aparecia o homem de farda cáqui e bomba em punho e num segundo pulverizava tudo. Tinha em casa o número do telefone, nem baratas nem formigas.

— No próximo mês, parece. Está tão lépida que nem acredito que esteja nas vésperas — disse ele me contornando pelas costas. Não perdia um só dos meus movimentos. — E adivinha agora quem vai ser o padrinho.

— Que padrinho?

— Do meu filho, ora!

— Não tenho a menor ideia.

— Você.

Minha mão tremia como se ao invés de açúcar eu estivesse mergulhando a colher em arsênico. Senti-me infinitamente mais gordo. Mais vil. Tive vontade de vomitar.

— Não faz sentido, Eduardo. Não acredito em Deus, não acredito em nada.

— E daí? — perguntou ele, servindo-se de mais açúcar ainda. Atraiu-me quase num abraço. — Fique tranquilo, eu acredito por nós dois.

Tomei de um só trago o café amargo. Uma gota de suor pingou no pires. Passei a mão pelo queixo. Não pudera ser pai, seria padrinho. Não era um ser amável? Um casal amabilíssimo. A pretexto de aquecer o café, fiquei de costas e então esfreguei furtivamente o pano de prato na cara.

— Era essa a surpresa? — perguntei e ele me olhou com inocência. Repeti a pergunta: — A surpresa! Quando chegou você disse que...

— Ah! não, não! Não é isso não — exclamou e riu apertando os olhos que riam também com uma ponta de malícia. — A surpresa é outra. Se der certo, Rodolfo, se der certo!... Enfim, você é quem vai decidir. Ponho nas suas mãos.

Era exatamente a expressão da minha mãe quando vinha me preparar para uma boa notícia. Rondava, rondava e ficava me observando reticente, saboreando o segredo até o momento em que não resistia mais e contava. A condição era invariável: "Mas você vai me prometer que não vai comer nenhum doce durante uma semana, só uma semana!".

E se ele fosse morar longe? Podia tão bem se mudar de cidade, viajar. Mas não. Precisava ficar por perto, sempre em redor, me olhando. Desde pequeno, no berço já me olhava assim. Não precisaria me odiar, eu nem pediria tanto, bastava me ignorar, se ao menos me ignorasse. Era bonito, inteligente, amado, conseguiu sempre fazer tudo muito melhor do que eu, muito melhor do que os outros, em suas mãos as menores coisas adquiriam outra importância, como que se renovavam. E então? Natural que esquecesse o irmão obeso, malvestido, malcheiroso. Escritor, sim, mas nem aquele tipo de escritor de sucesso, convidado para festas, dando entrevistas na televisão: um escritor de cabeça baixa e calado, abrindo com as mãos em garra seu caminho. Se ao menos ele... mas não, claro que não, desde menino eu já estava condenado ao seu fraterno amor. Às vezes me escondia no porão, corria para o quintal, subia na figueira, ficava imóvel, um lagarto no vão do muro, pronto, agora não vai me achar. Mas ele abria portas, vasculhava armários, abria a folhagem e ficava rindo por entre lágrimas. Engatinhava ainda quando saía à minha procura, farejando meu rastro. "Rodolfo, não faça seu irmãozinho chorar, não quero que ele fique triste!" Para que ele não ficasse triste, só eu soube que ela ia morrer. "Você já é grande, você deve saber a verdade", disse meu pai olhando reto nos meus olhos. "É que sua mãe não tem nem..." Não completou a frase. Voltou-se para a parede e ali ficou de braços cruzados, os ombros curvos. "Só eu e você sabemos. Ela desconfia mas de jeito nenhum quer que seu irmãozinho saiba, está entendendo?" Eu entendia. Na sua última festa de aniversário ficamos reunidos em redor da cama. "Laura é como o rei daquela história", disse meu pai, dando-lhe de beber um gole de vinho. "Só que ao invés de transformar tudo em ouro, quando toca nas coisas, transforma tudo em beleza." Com os olhos cozidos de tanto chorar, ajoelhei-me e fingindo arrumar-lhe o travesseiro, pousei a cabeça ao alcance da sua mão, ah, se me tocasse com um pouco de amor. Mas ela só via o broche, um caco de vidro que Eduardo achou no quintal e enrolou em fiozinhos de arame formando um casulo, "Mamãezinha querida, eu que fiz para você!". Ela beijou o broche. E o arame ficou sendo prata e o caco de garrafa ficou sendo esmeralda. Foi o broche que lhe fechou a gola do vestido. Quando me despedi, apertei sua mão gelada contra minha boca, e eu, mamãe, e eu?...

— Esqueci de oferecer biscoitos, olha aí, você gosta — eu disse tirando a lata do armário.

— É sua empregada quem faz?

— Minha empregada só vem uma vez por semana, comprei na rua — acrescentei e lancei-lhe um olhar. Que surpresa era essa agora? O que é que eu devia decidir? Eu devia decidir, ele disse. Mas o quê?... Interpelei-o: — Que é que você está escondendo, Eduardo? Não vai me dizer?

Ele pareceu não ter ouvido uma só palavra. Quebrou a cinza do cigarro, soprou o pouco que lhe caiu na calça e inclinou-se para os biscoitos.

— Ah!... rosquinhas. Ofélia aprendeu a fazer sequilhos no caderno de receitas da mamãe mas estão longe de ser como aqueles.

Ele comia sequilhos quando entrei no quarto. Ao lado, a caneca de chocolate fumegante. Eu tinha tomado chá. Chá. Dei uma volta em redor dele. O Júlio já está na esquina esperando, avisei. Veio me dizer que tem que ser agora. Ele então se levantou, calçou a sandália, tirou o relógio de pulso e a correntinha do pescoço. Dirigiu-se para a porta com uma firmeza que me espantou. Vi-o ensanguentado, a roupa em tiras. Você é menor, Eduardo, você vai apanhar feito cachorro! Ele abriu os braços. "E daí? Quer que a turma me chame de covarde?" Sentei-me na cadeira onde ele estivera e ali fiquei encolhido, tomando o chocolate e comendo sequilhos. Tinha a boca cheia quando ouvi a voz da minha mãe chamando: "Rodolfo, Rodolfo!". Agora ela o carregava em prantos, tentando arrancar-lhe o canivete enterrado no peito até o cabo.

— Procurei seu romance em duas livrarias e não encontrei, queria dar a uns amigos. Está esgotado, Rodolfo? O vendedor disse que vende demais.

— Exagero. Talvez se esgote mas não já.

A boca cheia de sequilhos e o suor escorrendo por todos os poros, escorrendo. A voz da minha mãe insistiu enérgica: "Rodolfo, você está me ouvindo? Onde está o Eduardo?!". Entrei no quarto dela. Estava deitada, bordando. Assim que me viu, sua fisionomia se confrangeu. Deixou o bordado e ficou balançando a cabeça. "Mas, filho, comendo de novo?! Quer engordar mais ainda? Hum?..." Suspirou, dolorido. "Onde está seu irmão?" Encolhi os ombros, Não sei, não sou pajem dele. Ela ficou me olhando. "Essa é maneira de me responder, Rodolfo? Hein?!..." Desci a escada comendo o resto dos sequilhos que escondi nos bolsos. O silêncio me seguiu descendo a escada degrau por degrau, colado ao chão, viscoso, pesado. Parei de mastigar. E de repente me precipitei pela rua afora, eu o queria vivo, o canivete não! Encontrei-o sentado na sarjeta, a camisa rasgada, um arranhão fundo na testa. Sorriu palidamente. Ofegava. Júlio tinha acabado de fugir. Cravei o olhar no seu peito. Mas ele não usou o canivete? perguntei. Apoiando-se na árvore, levantou-se com dificuldade, tinha torcido o pé. "Que canivete?..." Baixando a cabeça que latejava, inclinei-me até o chão. Você não pode andar, eu disse apoiando as mãos nos joelhos. Vamos, monta em mim. Ele obedeceu. Estranhei, era tão magro, não era? Mas pesava como chumbo. O sol batia em cheio em nós enquanto o vento levantava as tiras da sua camisa rasgada. Vi nossa sombra no muro, as tiras se abrindo como asas. Enlaçou-me mais fortemente, encostou o queixo no meu ombro e teve um breve soluço, "Que bom que você veio me buscar...".

— Seu novo romance? — perguntou ele na maior excitação. Encontrara o rascunho em cima da mesa. — Posso ler, Rodolfo? Posso?

Tirei-lhe as folhas das mãos e fechei-as na gaveta. Era o que me restara, escrever. Será possível que ele também?...

— Não, não é possível, Eduardo — eu disse, tentando abrandar a voz. — Está tudo muito no início, trabalho mal no calor — acrescentei meio distraidamente.

Olhei para sua pasta na cadeira e adivinhei a surpresa. Senti meu coração se fechar como uma concha. A dor era quase física. Olhei para ele. Você escreveu um romance. É isso? Os originais estão na pasta... É isso?

Ele então abriu a pasta.

Apenas um Saxofone

Anoiteceu e faz frio. "*Merde! voilà l'hiver*" é o verso que segundo Xenofonte cabe dizer agora. Aprendi com ele que palavrão em boca de mulher é como lesma em corola de rosa. Sou mulher, logo, só posso dizer palavrão em língua estrangeira, se possível, fazendo parte de um poema. Então as pessoas em redor poderão ver como sou autêntica e ao mesmo tempo erudita. Uma puta erudita, tão erudita que se quisesse podia dizer as piores bandalheiras em grego antigo, o Xenofonte sabe grego antigo. E a lesma ficaria irreconhecível como convém a uma lesma numa corola de quarenta e quatro anos. Quarenta e quatro anos e cinco meses, meu Jesus. Foi rápido, não? Rápido. Mais seis anos e terei meio século, tenho pensado muito nisso e sinto o próprio frio secular que vem do assoalho e se infiltra no tapete. Meu tapete é persa, todos meus tapetes são persas mas não sei o que fazem esses bastardos que não impedem que o frio se instale na sala. Fazia menos frio no nosso quarto, com as paredes forradas de estopa e o tapetinho de juta no chão, ele mesmo forrou as paredes e pregou retratos de antepassados e gravuras da Virgem de Fra Angelico, tinha paixão por Fra Angelico.

Onde agora? Onde? Podia mandar acender a lareira mas despedi o copeiro, a arrumadeira, o cozinheiro — despedi um por um, me deu um desespero e mandei a corja toda embora, rua, rua! Fiquei só. Há lenha em algum lugar da casa mas não é só riscar o fósforo e tocar na lenha como se vê no cinema, o japonês ficava horas aí mexendo, soprando até o fogo acender. E eu mal tenho forças para acender o cigarro. Estou aqui sentada faz não sei quanto tempo. Desliguei o telefone, me enrolei na manta, trouxe a garrafa de uísque e estou aqui bebendo bem devagarinho para não ficar de porre, hoje não, hoje quero ficar lúcida, vendo uma coisa, vendo outra. E tem coisa à beça para ver tanto por dentro como por fora, ainda mais por fora, uma porrada de coisas que comprei no mundo inteiro, coisas que nem sabia que tinha e que só vejo agora, justo agora que está escuro. É que fomos escurecendo juntas, a sala e eu. Uma sala de uma burrice atroz, afetada, pretensiosa. E sobretudo rica, exorbitando de riqueza, abri um saco de ouro para o decorador se esbaldar nele. E se esbaldou mesmo, o viado. Chamava-se Renê e chegava logo cedinho com suas telas, veludos, musselinas, brocados, "Trouxe hoje para o sofá um pano que veio do Afeganistão, completamente divino! Di-vino!". Nem o pano era do Afeganistão nem ele era tão viado assim, tudo mistificação, cálculo. Surpreendi-o certa vez sozinho, fumando perto da janela, a expressão fatigada de um ator que já está farto de representar. Assustou-se quando me viu, como se o tivesse apanhado em flagrante roubando um talher de prata. Então retomou o gênero borbulhante e saiu se rebolando todo para me mostrar o oratório, um oratório falsamente antigo, tudo feito há três dias mas com furinhos na madeira imitando caruncho de três séculos. "Este anjo só pode ser do Aleijadinho, veja as bochechas! E os olhos de cantos caídos, um nadinha estrábicos..." Eu concordava no mesmo tom histérico, embora soubesse perfeitamente que o Aleijadinho teria que ter mais de dez braços para conseguir fazer tanto anjo assim, a casa de Madô também tem milhares deles, todos autênticos, "Um nadinha estrábicos", repetiu ela com a voz em falsete de Renê. Bossa colonial de grande luxo. E eu sabendo que estava sendo enganada e não me importando, ao contrário, sentindo um agudo prazer em comer gato por lebre. Li ontem que já estão comendo ratos em Saigon e li ainda que já não há mais borboletas por lá, nunca mais haverá a menor borboleta... Desatei então a chorar feito louca, não sei se por causa das borboletas ou dos ratos. Acho que nunca bebi tanto como ultimamente e quando bebo assim fico sentimental, choro à toa. "Você precisa se cuidar", Renê disse na noite em que ficamos de fogo, só agora penso nisso que ele me disse, por que devo me cuidar, por quê? Contratei-o para fazer em seguida a decoração da casa de campo, "Tenho os móveis ideais para essa sua casa", ele avisou e eu comprei os móveis ideais, comprei tudo, compraria até a peruca de Maria Antonieta com todos os seus labirintos feitos pelas traças e mais a poeira pela qual não me cobraria nada, simples contribuição do tempo, é claro. É claro.

Onde agora? Às vezes eu fechava os olhos e os sons eram como voz humana me chamando, me envolvendo, Luisiana, Luisiana! Que sons eram aqueles? Como podiam parecer voz de gente e serem ao mesmo tempo tão mais poderosos, tão puros? E singelos como ondas se renovando no mar, aparentemente iguais, só aparentemente. "Este é o meu instrumento", disse ele deslizando a mão pelo saxofone. Com a outra mão em concha, cobriu meu peito: "e esta é a minha música".

Onde, onde? Olho meu retrato em cima da lareira. "Na lareira tem que ficar seu retrato", determinou Renê num tom autoritário, às vezes ele era autoritário. Apresentou-me seu namorado, pintor, pelo menos me fazia crer que era seu namorado porque agora já não sei mais nada. E o efebo de caracóis na testa me pintou toda de branco, uma Dama das Camélias voltando do campo, o vestido comprido, o pescoço comprido, tudo assim esgalgado e iluminado como se eu tivesse o próprio anjo tocheiro da escada aceso dentro de mim. Tudo já escureceu na sala menos o vestido do retrato, lá está ele, diáfano como a mortalha de um ectoplasma pairando suavíssimo no ar. Um ectoplasma muito mais jovem do que eu, sem dúvida o puxa-saco do efebo era suficientemente esperto para imaginar como eu devia ser aos vinte anos. "Você no retrato parece um pouco diferente", concedeu ele, "mas o caso é que não estou pintando só seu rosto", acrescentou muito sutil. Queria dizer com isso que estava pintando minha alma. Concordei na hora, fiquei até comovida quando me vi de cabeleira elétrica e olhos vidrados. "Meu nome é Luisiana", me diz agora o ectoplasma. "Há muitos anos mandei embora o meu amado e desde então morri."

Onde?... Tenho um iate, tenho um casaco de vison prateado, tenho uma coroa de diamantes, tenho um rubi que já esteve incrustado no umbigo de um xá famosíssimo, até há pouco eu sabia o nome desse xá. Tenho um velho que me dá dinheiro, tenho um jovem que me dá gozo e ainda por cima tenho um sábio que me dá aulas sobre doutrinas filosóficas com um interesse tão platônico que logo na segunda aula já se deitou comigo. Vinha tão humilde, tão miserável com seu terno de luto empoeirado e botinas de viúvo que fechei os olhos e me deitei, Vem, Xenofonte, vem. "Não sou Xenofonte, não me chame de Xenofonte", ele me implorou e seu hálito tinha o cheiro recente de pastilhas Valda, era Xenofonte, nunca houve ninguém tão Xenofonte quanto ele. Como nunca houve uma Luisiana tão Luisiana como eu, ninguém sabe desse nome, ninguém, nem o cáften do meu pai que nem esperou eu nascer para ver como eu era, nem a coitadinha da minha mãe que não viveu nem para me registrar. Nasci naquela noite na praia e naquela noite recebi um nome que durou enquanto durou o amor. Outra madrugada, quando enchi a cara e fui falar com meu advogado para não pôr no meu túmulo outro nome senão esse, ele deu aquela risadinha execrável, "Luisiana? Mas por que Luisiana? De onde você tirou esse nome?". Controlou-se para não me chacoalhar por tê-lo acordado àquela hora, vestiu-se e muito polidamente me trouxe para casa, "Como queira, minha querida, você manda!". E deu sua risadinha, Enfim, uma puta bêbada mas rica tem o direito de botar no túmulo o nome que bem entender, foi o que provavelmente pensou. Mas já não me importo com o que pensa, ele e mais a cambada toda que me cerca, opinião alheia é este tapete, este lustre, aquele retrato. Opinião alheia é esta casa com os santos varados por mil cargas.

Mas antes eu me importava e como. Por causa dessa opinião tenho hoje um piano de cauda, tenho um gato siamês com uma argola na orelha, tenho uma chácara com piscina e nos banheiros, papel higiênico com florinhas douradas que o velho trouxe de Nova York junto com o estojo plástico que toca uma musiquinha enquanto a gente vai desenrolando o papel, *"Oh! My Last Rose of Summer!..."*. Quando me deu os rolos, deu também os potes de caviar, "É preciso dourar a pílula", disse rindo com sua grossura habitual, é um grosso sem remédio, se não cuspisse dólar eu já o teria mandado para aquela parte com seus tacos de golfe e cuecas perfumadas com lavanda. Tenho sapato com fivela de diamante e um aquário com uma floresta de coral no fundo, quando o velho me deu a pérola, achou originalíssimo escondê-la no fundo do aquário e me mandar procurar: "Está ficando quente, mais quente. Não, agora esfriou!...". E eu me fazia menininha e ria quando minha vontade mesmo era dizer-lhe que enfiasse a pérola no rabo e me deixasse em paz, Me deixa em paz! ele, o jovem ardente com todos os seus ardores, Xenofonte com seu hálito de hortelã — enxotar todos como fiz com a criadagem, todos uns sacanas que mijam no meu leite e se torcem de rir quando fico para cair de bêbada.

Onde, meu Deus? Onde agora? Tenho também um diamante do tamanho de um ovo de pomba. Trocaria o diamante, o sapato de fivela, o iate — trocaria tudo, anéis e dedos, para poder ouvir um pouco que fosse a música do saxofone. Nem seria preciso vê-lo, juro que nem pediria tanto, eu me contentaria em saber que ele está vivo, vivo em algum lugar, tocando seu saxofone.

Quero deixar bem claro que a única coisa que existe para mim é a juventude, tudo o mais é besteira, lantejoulas, vidrilho. Posso fazer duas mil plásticas e não resolve, no fundo é a mesma bosta, só existe a juventude. Ele era a minha juventude mas naquele tempo eu não sabia, na hora a gente nunca sabe nem pode mesmo saber, fica tudo natural como o dia que sucede à noite, como o sol, a lua, eu era jovem e não pensava nisso como não pensava em respirar. Alguém por acaso fica atento ao ato de respirar? Fica, sim, mas quando a respiração se esculhamba. Então dá aquela tristeza, puxa, eu respirava tão bem...

Ele era a minha juventude, ele e seu saxofone que luzia como ouro. Seus sapatos eram sujos, a camisa despencada, a cabeleira um ninho, mas o saxofone estava sempre meticulosamente limpo. Tinha também mania com os dentes que eram de uma brancura que nunca vi igual, quando ele ria eu parava de rir só para ficar olhando. Trazia a escova de dentes no bolso e mais a fralda para limpar o saxofone, achou num táxi uma caixa com uma dúzia de fraldas Johnson e desde então passou a usá-las para todos os fins: era o lenço, a toalha de rosto, o guardanapo, a toalha de mesa e o pano de limpar o saxofone. Foi também a bandeira de paz que usou na nossa briga mais séria, quando quis que tivéssemos um filho. Tinha paixão por tanta coisa...

A primeira vez que nos amamos foi na praia. O céu palpitava de estrelas e fazia calor. Então fomos rolando e rindo até às primeiras ondas que ferviam na areia e ali ficamos nus e abraçados na água morna como a de uma bacia. Preocupou-se quando lhe disse que não fora sequer batizada. Colheu a água com as mãos em concha e despejou na minha cabeça: "Eu te batizo, Luisiana, em nome do Padre, do Filho e do Espírito Santo. Amém". Pensei que ele estivesse brincando mas nunca o vi tão grave. "Agora você se chama Luisiana", disse me beijando a face. Perguntei-lhe se acreditava em Deus. "Tenho paixão por Deus", sussurrou deitando-se de costas, as mãos entrelaçadas debaixo da nuca, o olhar perdido no céu: "O que mais me deixa perplexo é um céu assim como este". Quando nos levantamos correu até a duna onde estavam nossas roupas, tirou a fralda que cobria o saxofone e trouxe-a delicadamente nas pontas dos dedos para me enxugar com ela. Aí pegou o saxofone, sentou-se encaracolado e nu como um fauno menino e começou a improvisar bem baixinho, formando com o fervilhar das ondas uma melodia terna. Quente. Os sons cresciam tremidos como bolhas de sabão, olha esta que grande! olha esta agora mais redonda... ah, estourou! Se você me ama você é capaz de ficar assim nu naquela duna e tocar, tocar o mais alto que puder até que venha a polícia? eu perguntei. Ele me olhou sem pestanejar e foi correndo em direção à duna e eu corria atrás e gritava e ria, ria porque ele já tinha começado a tocar a plenos pulmões.

Minha companheira do curso de dança casou-se com o baterista de um conjunto que tocava numa boate, houve festa. Foi lá que o conheci. Em meio da maior algazarra do mundo a mãe da noiva se trancou no quarto chorando, "Veja em que meio minha filha foi cair! Só vagabundos, só cafajestes!...". Deitei-a na cama e fui buscar um copo de água com açúcar mas na minha ausência os convidados descobriram o quarto e quando voltei os casais já tinham transbordado até ali, atracando-se em almofadas pelo chão. Pulei gente e sentei-me na cama. A mulher chorava, chorava até que aos poucos o choro foi esmorecendo e de repente parou. Eu também tinha parado de falar e ficamos as duas muito quietas, ouvindo a música de um moço que eu ainda não tinha visto. Ele estava sentado na penumbra, tocando saxofone. A melodia era mansa mas ao mesmo tempo tão eloquente que fiquei imersa num sortilégio. Nunca tinha ouvido nada parecido, nunca ninguém tinha tocado um instrumento assim. Tudo o que tinha querido dizer à mulher e não conseguira, ele dizia agora com o saxofone: que ela não chorasse mais, tudo estava bem, tudo estava certo quando existia o amor. Tinha Deus, ela não acreditava em Deus? perguntava o saxofone. E tinha a infância, aqueles sons brilhantes falavam agora da infância, olha aí a infância!... A mulher parou de chorar e agora era eu que chorava. Em redor, os casais ouviam num silêncio fervoroso e suas carícias foram ficando mais profundas, mais verdadeiras porque a melodia também falava do sexo vivo e casto como um fruto que amadurece ao vento e ao sol.

Onde? Onde?... Levou-me para o seu apartamento, ocupava um minúsculo apartamento no décimo andar de um prédio velhíssimo, toda a sua fortuna era aquele quarto com um banheiro mínimo. E o saxofone. Contou-me que recebera o apartamento como herança de uma tia cartomante. Depois, num outro dia disse que o ganhara numa aposta e quando outro dia ainda começou a contar uma terceira história, interpelei-o e ele começou a rir, "É preciso variar as histórias, Luisiana, o divertido é improvisar que para isso temos imaginação! É triste quando um caso fica a vida inteira igual...". E improvisava o tempo todo e sua música era sempre ágil, rica, tão cheia de invenções que chegava a me afligir, Você vai compondo e vai perdendo tudo, você tem que tomar nota, tem que escrever o que compõe! Ele sorria. "Sou um autodidata, Luisiana, não sei ler nem escrever música e nem é preciso para ser um sax-tenor, sabe o que é um sax-tenor? É o que eu sou." Tocava num conjunto que tinha contrato com uma boate e sua única ambição era ter um dia um conjunto próprio. E ter um toca-discos de boa qualidade para ouvir Ravel e Debussy.

Nossa vida foi tão maravilhosamente livre! E tão cheia de amor, como nos amamos e rimos e choramos de amor naquele décimo andar, cercados por gravuras de Fra Angelico e retratos dos antepassados dele. "Não são meus parentes, achei tudo isso no baú de um porão", confessou-me certa vez. Apontei para o mais antigo dos retratos, tão antigo que da mulher só restava a cabeleira escura. E as sobrancelhas. Esta você também achou no baú? perguntei. Ele riu e até hoje fiquei sem saber se era verdade ou não. Se você me ama mesmo, eu disse, suba então naquela mesa e grite com todas as forças, Vocês são todos uns cornudos, vocês são todos uns cornudos! e depois desça da mesa e saia mas sem correr. Ele me deu o saxofone para segurar enquanto eu fugia rindo, Não, não, eu estava brincando, isso não! Já na esquina ouvi seus gritos em pleno bar, "Cornudos, todos cornudos!". Alcançou-me em meio da gente estupefata, "Luisiana, Luisiana, não me negue, Luisiana!". Outra noite — saímos de um teatro — não resisti e perguntei-lhe se era capaz de cantar ali no saguão um trecho de ópera, Vamos, se você me ama mesmo, cante agora aqui na escada um trecho do *Rigoletto*!

Se você me ama mesmo, me leva agora a um restaurante, me compre já aqueles brincos, me compre imediatamente um vestido novo! Ele agora tocava em mais lugares porque eu estava ficando exigente, se você me ama mesmo, mesmo, mesmo... Saía às sete da noite com o saxofone debaixo do braço e só voltava de manhãzinha. Então limpava meticulosamente o bocal do instrumento, lustrava o metal com a fralda e ficava dedilhando distraidamente, sem nenhum cansaço, sem nenhum desgaste, "Luisiana, você é a minha música e eu não posso viver sem música", dizia abocanhando o bocal do saxofone com o mesmo fervor com que abocanhava meu peito. Comecei a ficar irritadiça, inquieta, era como se tivesse medo de assumir a responsabilidade de tamanho amor. Queria vê-lo mais independente, mais ambicioso. Você não tem ambição? Não usa mais artista sem ambição, que futuro você pode ter assim? Era sempre o saxofone quem me respondia e a argumentação era tão definitiva que me envergonhava e me sentia miserável por estar exigindo mais. Contudo, exigia. Pensei em abandoná-lo mas não tive forças, não tive, preferi que nosso amor apodrecesse, que ficasse tão insuportável que quando ele fosse embora saísse cheio de nojo, sem olhar para trás.

Onde agora? Onde? Tenho uma casa de campo, tenho um diamante do tamanho de um ovo de pomba... Eu pintava os olhos diante do espelho, tinha um compromisso, vivia cheia de compromissos, ia a uma boate com um banqueiro. Enrodilhado na cama, ele tocava em surdina. Meus olhos foram ficando cheios de lágrimas. Enxuguei-os na fralda do saxofone e fiquei olhando para minha boca. Os lábios estavam mais finos assim crispados. Desviei o olhar do espelho. Se você me ama mesmo, eu disse, se você me ama mesmo então saia e se mate imediatamente.

Helga

Ela era uma só. Não havia outra e se quisesse compará-la com alguma coisa, seria com os tenros cogumelos dos bosques ou com as manhãs de bicicleta nas estradas impecáveis ou com as primeiras cerejas da primavera. Era uma, una, única, apesar de ter uma só perna, aliás bela como ela toda. Mas é cedo para falar não sobre sua beleza — que deve ser lembrada sem enfado quantas vezes forem necessárias — mas cedo para falar sobre a perna que vai exigir explicação. A perna envolve viagem, guerra, a perna vai tão além... Sem esclarecimento tudo será apenas crueldade.

É bom dizer logo quem eu sou: Paulo Silva, brasileiro. Mas fui alemão. Filho de alemã de Santa Catarina e desse Silva brasileiro que não cheguei a conhecer. Mãe alemã nascida no Vale do Itajaí, neta de proprietários em Vila Corinto desde 1890, pude ver isso nos papéis. Mas alemã malvista porque se casou com o Silva, Paulo também, o que me faria Paulo Silva Filho. Mas nada disso vigorou, na escola eu já era Paul sem o *o*, Paul Karsten. E o destino amável de um Paul Karsten, ginasiano de Blumenau em 1935, eram férias, cursos de aperfeiçoamento, amizades e amores na Alemanha. De Hitler, é bom lembrar. E não havia nada melhor, a começar pela viagem no *Monte Pascoal*, classe única com escalas na Bahia, em Madeira, Lisboa, e depois Hamburgo até os verões intermináveis nas Casas da Juventude, com excursões, piqueniques, bicicletas, cerejas e sexo em meio do cansaço feliz e da dose exata de melancolia. *Jugendhaus*, era esse o nome dessas casas e pensar nelas me faz pensar em fonte e musgo. As viagens seguintes, três ao todo, foram marcadas pelas aulas cheias de simplicidade e exaltação. E a nossa, a minha particular importância por ser alemão e alemão estrangeiro. Esportes. Treinos. O aço das metralhadoras sem carga encostado no peito banhado de suor. As bandeiras apoiadas no ombro no desfile diante de Hitler e Mussolini no estádio de Berlim, os alemães da América do Sul marchando logo atrás dos países sudetos e antes mesmo dos alemães da América do Norte. Amizade e amor foi lá que conheci, próximos e concretos. E o ódio também abstrato e longínquo, aos judeus, aos comunistas e a outras coisas mais que já esqueci. Tudo aconteceu porque a terceira viagem foi no verão de 1939. Não vou contar minha guerra, Polônia, França, Grécia, Rússia...

A beleza de Helga e a sua perna. Confesso que durante muito tempo não sei em qual pensei mais, se na que tinha ou se na que perdera. Mas é cedo. Por enquanto é preciso dizer como foi possível acontecer o que aconteceu. O meu hitlerismo era jovem, leal, risonho e franco e a guerra não entrava na jogada. Nela fiz mais ou menos tudo o que os outros fizeram e até menos do que vi ser feito em matéria de luta ou crime. De resto, eu e meus camaradas de armas éramos parecidos, menos numa coisa: nunca consegui estabelecer um vínculo entre essa guerra e as férias na *Jugendhaus* em meio dos piqueniques nas florestas e excursões pelas estradas marginadas de verdor. As aulas tão nítidas eram para isso? A palavra *unerbittlich* significava mesmo implacável e era para valer? Só mais tarde, depois da guerra, descobri dentro de mim que aprendera a lição.

Curioso é que hoje já não consigo lembrar qual a perna que Helga perdera, se a direita ou a esquerda. E dizer que durante anos não houve dia nem hora que Helga não aparecesse no meu pensamento. Acha meu analista que os esquecimentos parciais são frequentemente formas sutis de autopunição. Não sei se isso é verdade mas sei que agora que resolvi evocá-la não posso impedir que a todo instante ela cruze estas linhas antes do momento exato em que devia comparecer. Quero confessar que não liguei muito quando soube que o Brasil entrara na guerra contra a Alemanha mas devo dizer também que achei bom não ter combatido contra soldados brasileiros. O que me faz pensar que nunca deixou de existir em mim alguma coisa do filho daquele Silva que sempre imaginei moreno pálido, a cara comprida e os olhos tristes.

Assim que acabou a guerra, vendi meu capacete e meu punhal com a cruz suástica a um funcionário brasileiro que até hoje não sei o que estava fazendo em Düsseldorf. Fomos para uma cantina onde me pagou uma cerveja e dele ouvi então coisas alarmantes: que a minha situação jurídica era nada mais, nada menos, do que a de um traidor, quer dizer, uns quinze anos de cadeia, por aí. Era só voltar e a condenação viria na certa. Recebi a notícia na hora errada porque naquela altura meu desejo maior era esquecer a guerra, encerrar as férias na Alemanha e tranquilamente voltar para Vila Corinto, casar por lá, cuidar do plantio, da criação e ajudar minha mãe que devia estar velha. Helga ainda não aparecera na minha vida e o hitlerismo e a guerra ainda não tinham me marcado para sempre. Ainda não.

Há um pormenor que me ocorre com tamanha insistência que fico às vezes pensando, pensando e não descubro por que me lembro tanto das unhas do seu pé pintadas com esmalte rosa. Não sei qual perna lhe restara mas revejo seu pé, só o pé com as unhas pintadas, não pintava as unhas das mãos, limpas, polidas mas sem esmalte. Pintava as do pé, economizando assim o esmalte que naquele tempo era raro como todo o resto, comida, roupa. Unhas de um tom de rosa delicado, ela gostava das cores tímidas.

Não poder voltar para o Brasil decidiu minha sorte de continuar Paul Karsten o tempo necessário para enriquecer e nunca mais ter paz. Não por ter enriquecido, como veremos, estou chegando lá. O caso é que não fui prisioneiro de guerra nem propriamente desertor. Num momento de confusão a guerra se afastou de onde me encontrava, não voltou mais e depois acabou. Já contei que vendi meu capacete e meu punhal. Arranjei em seguida outros punhais e capacetes que vendia para jovens recrutas americanos que chegaram demasiado tarde e doidos por levarem qualquer suvenir desse tipo. O pequeno comércio de troféus ampliou-se para cigarros, chocolate, leite em pó e outras latarias, mas tudo muito reduzido. Basta dizer que na intendência americana meu sócio mais qualificado era apenas sargento, o que mostra bem a modéstia do negócio.

Naquela improvisação de vida ao deus-dará, o tempo perdeu a medida e hoje não sou mesmo capaz de lembrar quando exatamente conheci Helga. Só sei que sua beleza me surgiu inicialmente da cintura para cima atrás do balcão da farmácia, se assim podemos chamar àquele casebre de madeira enegrecida, toscamente erguido no meio das ruínas do sudeste industrial de Düsseldorf. Sua beleza, foi sua beleza o que de início me impressionou. E depois, seu recato, sua doçura naquele mundo de fim do mundo. Passando pela farmácia, não houve vez que não a visse ereta e séria, vendendo aspirina e as tais latinhas de pomada fabricada pelo pai, o velho Wolf, um verdadeiro caco aos quarenta anos, andando quilômetros em busca de mercadoria: vidrinhos de iodo e alguns metros de gaze.

Foi o velho quem primeiro me falou da penicilina e do quanto um negócio desses poderia render. Até então eu vendia para Helga algumas latas de leite em pó e de veneno para rato. Também me lembro muito de um outro pormenor: a lata de leite tinha uma risonha vaquinha no rótulo e a outra tinha um rato negro, morto, dependurado pelo rabo por um longo fio. Quero ser verdadeiro quando digo que não me importei ao ver meu lucro diminuído devido à perda de tempo em vender-lhe as ninharias que podia comprar. O prazer de vê-la era tão grande que me sentia compensado quando ouvia sua voz calma, harmoniosa como os seus gestos que por sinal eram raros. Não procurava, então, a mulher. Durante meses a caça à comida utilizava quase toda a imaginação e energia de que sou capaz, qualquer preocupação com mulher se dissipava nessa caça. Foi só numa segunda fase que relacionei a beleza de Helga com o desejo. Já sabia então da sua perna, ela mesma me contou quando recusou-se a me acompanhar a um local de danças, improvisado nos escombros do museu. Fiz o convite quando fui cedo à farmácia, soubera das danças e não vi melhor oportunidade para sair com ela. Estava como sempre detrás do balcão mas assim que lhe falei em dançarmos teve um movimento de fuga enquanto uma nuvem preta pareceu baixar sobre seu rosto tão limpo. Mas logo espantou a nuvem e sorriu quase natural quando confessou que não podia dançar as valsas que lá tocavam, tinha uma perna só. Aquela noite pensei muito na mutilação de Helga, mutilação antiga, pois ela perdera a perna e o resto da família, menos o pai, no primeiro bombardeio de Hamburgo. Na mesma ocasião o velho Wolf perdera também a farmácia, a primeira, pois a segunda e a terceira foram destruídas em Düsseldorf. Ainda era rico depois da tragédia de Hamburgo e a prova disso é que montou em seguida mais essas duas farmácias. Outra prova de que tivera dinheiro foi a magnífica perna ortopédica que comprou para a filha, daquelas que durante a guerra eram reservadas para heróis excepcionais, membros graúdos do Partido Nacional-Socialista ou oficiais superiores. Fora desse tipo de gente só os muito ricos podiam comprar uma perna igual. Não pude então deixar de sentir um certo espanto quando vi Helga sair andando detrás do balcão, mancando um pouco, é certo, mas discretamente, com uma lentidão que combinava com seu feitio. Imaginara-a plantada numa perna só, apoiada em muletas ou numa bengala, dando saltos penosos... E cheguei a dizer-lhe que num vestido de noite ninguém notaria a perna artificial. Ela então baixou os grandes olhos claros.

No dia seguinte era domingo e Helga concordou em sair comigo. Eu podia emprestar o jipe do sargento americano mas a tarde estava tão agradável que ela preferiu que fôssemos mesmo a pé. À noite — era uma noite estrelada — jantamos, ela, o pai e eu, uma lata de rosbife e outra de milho que desviara do meu comércio. Senti-me generoso, bom. Foi aí que o velho Wolf me falou da penicilina. Na cara devastada do farmacêutico vi como seus olhos azuis, iguais aos da filha, coruscavam de entusiasmo ao imaginar o negócio. Ele tinha o cálculo fácil e claramente demonstrou que três meses de tráfico de penicilina eram o suficiente para juntar uma pequena fortuna. Havia apenas dois problemas a enfrentar: o primeiro era o risco, mas não tão grande assim, na pior das hipóteses um par de anos na cadeia, se tanto. A segunda dificuldade, a maior, era a mesma de qualquer negócio: o capital inicial. E para tudo, uma condição indispensável, a rapidez. Esses grandes negócios só funcionariam durante uns seis meses, no máximo. Depois, a eficiência combinada de americanos, russos e dos próprios alemães iria pôr tudo nos eixos e qualquer empreendimento se tornaria rotineiro, lento. Com os ingleses, nem pensar. A coisa do lado de cá tinha que ser feita mesmo com os americanos e sem demora. O velho se ramificava em considerações mas minha atenção se concentrava em Helga, a doce Helga que eu já beijara naquela tarde. Foi então meio distraidamente que ouvi o que ele disse? Pois sim. Naquela noite e no dia seguinte não pensei noutra coisa. Pedi pormenores e ele me falou num certo major-médico, chegamos até a procurar o homem mas ele fora transferido para Hamburgo. E o capital? Via o velho diariamente e ficávamos falando, falando... E o capital? Foram dias de tanta inquietação, a tal ponto fiquei seduzido pela ideia que meu pequeno comércio começou a declinar. Via o velho e via Helga, com ela também falava demais e de repente falei em casamento.

Como é difícil reconstituir os acontecimentos! Lembrar o ano em que tudo aconteceu já exige esforço. Distribuir os fatos pelos meses não consigo. Mas ordenar os sentimentos é para mim totalmente impossível. Revivo o tempo da contemplação de sua beleza e depois os instantes de fundo desejo. E lembro muito do casamento. Quanto ao amor por Helga, afirma o analista que não passa de um recurso autopunitivo que resolvi imaginar. O fato é que me casei e na própria madrugada de núpcias fugi para Hamburgo levando a perna ortopédica que em seguida vendi. De posse do capital inicial, não foi difícil encontrar o tal major e no tempo previsto pelo velho Wolf, seis meses mais ou menos, fiz fortuna.

Daí por diante não foi mais possível dizer que as férias nazistas na Alemanha foram episódios fortuitos na vida de um jovem de Vila Corinto. Paul Karsten cometeu seu crime de guerra, pessoal e por conta própria, mas fora do lugar e com a pessoa errada. O ato de raça de senhor alemão aprendido nas aulas floridas dos cursos de 1936 foi praticado em plena paz por um pobre rapaz brasileiro contra uma pobre moça alemã. Engano ainda pensar que o fim de Paul Karsten foi uma solução. Alguns anos mais tarde, Paulo Silva Filho voltou para o Brasil anistiado e rico, mas voltou um homem de pouca fé e imaginação amortecida. A única maneira que encontrou de expiar o crime do jovem Paul foi tornar-se um cidadão exemplar. Hoje, o analista explica que simplesmente procuro e encontro, na insipidez da virtude, a punição de Paul Karsten e de seus camaradas.

O Moço do Saxofone

Eu era chofer de caminhão e ganhava uma nota alta com um cara que fazia contrabando. Até hoje não entendo direito por que fui parar na pensão da tal madame, uma polaca que quando moça fazia a vida e depois que ficou velha inventou de abrir aquele frege-mosca. Foi o que me contou o James, um tipo que engolia giletes e que foi meu companheiro de mesa nos dias em que trancei por lá. Tinha os pensionistas e tinha os volantes, uma corja que entrava e saía palitando os dentes, coisa que nunca suportei na minha frente. Teve até uma vez uma dona que mandei andar só porque no nosso primeiro encontro, depois de comer um sanduíche, enfiou o palitão entre os dentes e ficou de boca arreganhada de tal jeito que eu podia ver até o que o palito ia cavoucando. Bom, mas eu dizia que no tal frege-mosca eu era volante. A comida, uma bela porcaria e como se não bastasse ter que engolir aquelas lavagens, tinha ainda os malditos anões se enroscando nas pernas da gente. E tinha a música do saxofone.

Não que não gostasse de música, sempre gostei de ouvir tudo quanto é charanga no meu rádio de pilha de noite na estrada, enquanto vou dando conta do recado. Mas aquele saxofone era mesmo de entortar qualquer um. Tocava bem, não discuto. O que me punha doente era o jeito, um jeito assim triste como o diabo, acho que nunca mais vou ouvir ninguém tocar saxofone como aquele cara tocava.

— O que é isso? — eu perguntei ao tipo das giletes. Era o meu primeiro dia de pensão e ainda não sabia de nada. Apontei para o teto que parecia de papelão, tão forte chegava a música até nossa mesa. — Quem é que está tocando?

— É o moço do saxofone.

Mastiguei mais devagar. Já tinha ouvido antes saxofone, mas aquele da pensão eu não podia mesmo reconhecer nem aqui nem na China.

— E o quarto dele fica aqui em cima?

James meteu uma batata inteira na boca. Sacudiu a cabeça e abriu mais a boca que fumegava como um vulcão com a batata quente lá no fundo. Soprou um bocado de tempo a fumaça antes de responder.

— Aqui em cima.

Bom camarada esse James. Trabalhava numa feira de diversões, mas como já estivesse ficando velho, queria ver se firmava num negócio de bilhetes. Esperei que ele desse cabo da batata enquanto ia enchendo meu garfo.

— É uma música desgraçada de triste — fui dizendo.

— A mulher engana ele até com o periquito — respondeu James, passando o miolo de pão no fundo do prato para aproveitar o molho. — O pobre fica o dia inteiro trancado, ensaiando. Não desce nem para comer. Enquanto isso, a cabra se deita com tudo quanto é cristão que aparece.

— Deitou com você?

— É meio magricela para o meu gosto, mas é bonita. E novinha. Então entrei com meu jogo, compreende? Mas já vi que não dou sorte com mulher, torcem logo o nariz quando ficam sabendo que engulo gilete, acho que ficam com medo de se cortar...

Tive vontade de rir também, mas justo nesse instante o

saxofone começou a tocar de um jeito abafado, sem fôlego como uma boca querendo gritar, mas com uma mão tapando, os sons esprimidos saindo por entre os dedos. Então me lembrei da moça que recolhi uma noite no meu caminhão. Saiu para ter o filho na vila, mas não aguentou e caiu ali mesmo na estrada, rolando feito bicho. Arrumei ela na carroceria e corri como louco para chegar o quanto antes, apavorado com a ideia do filho nascer no caminho e desandar a uivar que nem a mãe. No fim, para não me aporrinhar mais, ela abafava os gritos na lona, mas juro que seria melhor que abrisse a boca no mundo, aquela coisa de sufocar os gritos já estava me endoidando. Pomba, não desejo ao inimigo aquele quarto de hora.

— Parece gente pedindo socorro — eu disse enchendo meu copo de cerveja. — Será que ele não tem uma música mais alegre?

James encolheu o ombro.

— Chifre dói.

Nesse primeiro dia fiquei sabendo ainda que o moço do saxofone tocava num bar, voltava só de madrugada. Dormia em quarto separado da mulher.

— Mas por quê? — perguntei, bebendo mais depressa para acabar logo e me mandar dali. A verdade é que não tinha nada com isso, nunca fui de me meter na vida de ninguém, mas era melhor ouvir o trololó do James do que o saxofone.

— Uma mulher como ela tem que ter seu quarto — explicou James, tirando um palito do paliteiro. — E depois, vai ver que ela reclama do saxofone.

— E os outros não reclamam?

— A gente já se acostumou.

Perguntei onde era o reservado e levantei-me antes que James começasse a escarafunchar os dentões que lhe restavam. Quando subi a escada de caracol, dei com um anão que vinha descendo. Um anão, pensei. Assim que saí do reservado, dei com ele no corredor, mas agora estava com uma roupa diferente. Mudou de roupa, pensei meio espantado porque tinha sido rápido demais. E já descia a escada quando ele passou de novo na minha frente, mas já com outra roupa. Fiquei meio tonto. Mas que raio de anão é esse que muda de roupa de dois em dois minutos? Entendi depois, não era um só, mas uma trempe deles, milhares de anões louros e de cabelo repartidinho do lado.

— Pode me dizer de onde vem tanto anão? — perguntei à madame e ela riu.

— Todos artistas, minha pensão é quase só de artistas...

Fiquei vendo com que cuidado o copeiro começou a empilhar almofadas nas cadeiras para que eles se sentassem. Comida ruim, anão e saxofone. Anão me enche e já tinha resolvido pagar e sumir quando ela apareceu. Veio por detrás, palavra que havia espaço para passar um batalhão, mas ela deu um jeito de esbarrar em mim.

— Licença?

Não precisei perguntar para saber que aquela era a mulher do moço do saxofone. Nessa altura o saxofone já tinha parado. Fiquei olhando. Era magra, sim, mas tinha as ancas redondas e um andar muito bem bolado. O vestido vermelho não podia ser mais curto. Abancou-se sozinha numa mesa e de olhos baixos começou a descascar o pão com a ponta da unha vermelha. De repente riu e apareceu uma covinha no queixo. Pomba, tive vontade de ir lá, agarrar ela pelo queixo e saber por que estava rindo. Fiquei rindo junto.

— A que horas é a janta? — perguntei para a madame, enquanto pagava.

— Vai das sete às nove. Meus pensionistas fixos *costumam comer às oito* — avisou ela, dobrando o dinheiro e olhando com um olhar acostumado para a dona de vermelho. — O senhor gostou da comida?

Voltei às oito em ponto. O tal James já mastigava seu bife. Na sala havia ainda um velhote de barbicha, que era professor parece que de mágica e o anão de roupa xadrez. Mas ela não tinha chegado. Animei-me um pouco quando veio um prato de pastéis, tenho loucura por pastéis. James começou a falar então de uma briga no parque de diversões, mas eu estava de olho na porta. Vi quando ela entrou conversando baixinho com um cara de bigode ruivo. Subiram a escada como dois gatos pisando macio. Não demorou nada e o raio do saxofone desandou a tocar.

— Sim senhor — eu disse e James pensou que estivesse falando na tal briga.

— O pior é que fiquei de porre, mal pude me defender!

Mordi um pastel que tinha dentro mais fumaça do que outra coisa. Examinei os outros pastéis para descobrir se havia algum com mais recheio.

— Toca bem esse condenado. Quer dizer que ele não vem comer nunca?

James demorou para entender do que eu estava falando. Fez uma careta. Decerto preferia o assunto do parque.

— Come no quarto, vai ver que tem vergonha da gente — resmungou ele, tirando um palito. — Fico com pena, mas às vezes me dá raiva, corno besta. Um outro já tinha acabado com a vida dela!

Agora a música alcançava um agudo tão agudo que me doeu o ouvido. De novo pensei na moça ganindo de dor na carroceria, pedindo ajuda não sei mais para quem.

— Não topo isso, pomba.

— Isso o quê?

Cruzei o talher. A música no máximo, os dois no máximo trancados no quarto e eu ali vendo o calhorda do James palitar os dentes. Tive ganas de atirar no teto o prato de goiabada com queijo e me mandar para longe de toda aquela chateação.

— O café é fresco? — perguntei ao mulatinho que já limpava o oleado da mesa com um pano encardido como a cara dele.

— Feito agora.

Pela cara vi que era mentira.

— Não é preciso, tomo na esquina.

A música parou. Paguei, guardei o troco e olhei reto para a porta porque tive o pressentimento que ela ia aparecer. E apareceu mesmo com o arzinho de gata de telhado, o cabelo solto nas costas e o vestidinho amarelo mais curto ainda do que o vermelho. O tipo de bigode passou em seguida, abotoando o paletó. Cumprimentou a madame, fez ar de quem tinha muito o que fazer e foi para a rua.

— Sim senhor!

— Sim senhor o quê? — perguntou James.

— Quando ela entra no quarto com um tipo, ele começa a tocar, mas assim que ela aparece, ele para. Já reparou? Basta ela se enfurnar e ele já começa.

James pediu outra cerveja. Olhou para o teto.

— Mulher é o diabo...

Levantei-me e quando passei junto da mesa dela atrasei o passo. Então ela deixou cair o guardanapo. Quando me abaixei, agradeceu, de olhos baixos.

— Ora, não precisava se incomodar...

Risquei o fósforo para acender-lhe o cigarro. Senti forte seu perfume.

— Amanhã? — perguntei, oferecendo-lhe os fósforos. — Às sete, está bem?

— É a porta que fica do lado da escada, à direita de quem sobe.

Saí em seguida, fingindo não ver a carinha safada de um dos anões que estava ali por perto e zarpei no meu caminhão antes que a madame viesse me perguntar se eu estava gostando da comida. No dia seguinte cheguei às sete em ponto, chovia potes e eu tinha que viajar a noite inteira. O mulatinho já amontoava nas cadeiras as almofadas para os anões. Subi a escada sem fazer barulho, me preparando para explicar que ia ao reservado, se por acaso aparecesse alguém. Mas ninguém apareceu. Na primeira porta, aquela à direita da escada, bati de leve e fui entrando. Não sei quanto tempo fiquei parado no meio do quarto: ali estava um moço segurando o saxofone. Estava sentado numa cadeira, em mangas de camisa, me olhando sem dizer uma palavra. Não parecia nem espantado nem nada, só me olhava.

— Desculpe, me enganei de quarto — eu disse com uma voz que até hoje não sei onde fui buscar.

O moço apertou o saxofone contra o peito cavado.

— É na porta adiante — disse ele baixinho, indicando com a cabeça.

Procurei os cigarros só para fazer alguma coisa. Que situação, pomba. Se pudesse, agarrava aquela dona pelo cabelo, a estúpida. Ofereci-lhe cigarro.

— Está servido?

— Obrigado, não posso fumar.

Fui recuando de costas. E de repente não aguentei. Se ele tivesse feito qualquer gesto, dito qualquer coisa, eu ainda me segurava, mas aquela bruta calma me fez perder as tramontanas.

— E você aceita tudo isso assim quieto? Não reage? Por que não lhe dá uma boa sova, não lhe chuta com mala e tudo no meio da rua? Se fosse comigo, pomba, eu já tinha rachado ela pelo meio! Me desculpe estar me metendo, mas quer dizer que você não faz nada?

— Eu toco saxofone.

Fiquei olhando primeiro para a cara dele, que parecia feita de gesso de tão branca. Depois olhei para o saxofone. Ele corria os dedos compridos pelos botões, de baixo para cima, de cima para baixo, bem devagar, esperando que eu saísse para começar a tocar. Limpou com um lenço o bocal do instrumento, antes de começar com os malditos uivos.

Bati a porta. Então a porta do lado se abriu bem de mansinho, cheguei a ver a mão dela segurando a maçaneta para que o vento não abrisse demais. Fiquei ainda um instante parado, sem saber mesmo o que fazer, juro que não tomei logo a decisão, ela esperando e eu parado feito besta, então, Cristo-Rei? E então? Foi quando começou bem devagarinho a música do saxofone. Fiquei broxa na hora, pomba. Desci a escada aos pulos. Na rua, tropecei num dos anões metido num impermeável, desviei de outro que já vinha vindo atrás e me enfurnei no caminhão. Escuridão e chuva. Quando dei a partida, o saxofone já subia num agudo que não chegava nunca ao fim. Minha vontade de fugir era tamanha que o caminhão saiu meio desembestado, num arranco.

Antes do Baile Verde

O rancho azul e branco desfilava com seus passistas vestidos à Luís xv e sua porta-estandarte de peruca prateada em forma de pirâmide, os cachos desabados na testa, a cauda do vestido de cetim arrastando-se enxovalhada pelo asfalto. O negro do bumbo fez uma profunda reverência diante das duas mulheres debruçadas na janela e prosseguiu com seu chapéu de três bicos, fazendo rodar a capa encharcada de suor.

— Ele gostou de você — disse a jovem voltando-se para a mulher que ainda aplaudia. — O cumprimento foi na sua direção, viu que chique?

A preta deu uma risadinha.

— Meu homem é mil vezes mais bonito, pelo menos na minha opinião. E já deve estar chegando, ficou de me pegar às dez na esquina. Se me atraso, ele começa a encher a caveira e pronto, não sai mais nada.

A jovem tomou-a pelo braço e arrastou-a até a mesa de cabeceira. O quarto estava revolvido como se um ladrão tivesse passado por ali e despejado caixas e gavetas.

— Estou atrasadíssima, Lu! Essa fantasia é fogo... Tenha paciência, mas você vai me ajudar um pouquinho.

— Mas você ainda não acabou?

Sentando-se na cama, a jovem abriu sobre os joelhos o saiote verde. Usava biquíni e meias rendadas também verdes.

— Acabei o quê! Falta pregar tudo isso ainda, olha aí... Fui inventar um raio de pierrete dificílima!

A preta aproximou-se, alisando com as mãos o quimono de seda brilhante. Espetado na carapinha trazia um crisântemo de papel crepom vermelho. Sentou-se ao lado da moça.

— O Raimundo já deve estar chegando, ele fica uma onça se me atraso. A gente vai ver os ranchos, hoje quero ver todos.

— Tem tempo, sossega — atalhou a jovem. Afastou os cabelos que lhe caíam nos olhos. Levantou o abajur que tombou na mesinha. — Não sei como fui me atrasar desse jeito.

— Mas não posso perder o desfile, viu, Tatisa? Tudo, menos perder o desfile!

— E quem está dizendo que você vai perder?

A mulher enfiou o dedo no pote de cola e baixou-o de leve nas lantejoulas do pires. Em seguida, levou o dedo até o saiote e ali deixou as lantejoulas formando uma constelação desordenada. Colheu uma lantejoula que escapara e delicadamente tocou com ela na cola. Depositou-a no saiote, fixando-a com pequenos movimentos circulares.

— Mas se tiver que pregar as lantejoulas em todo o saiote...

— Já começou a queixação? Achei que dava tempo e agora não posso largar a coisa pela metade, vê se entende! Você ajudando vai num instante, já me pintei, olha aí, que tal minha cara? Você nem disse nada, sua bruxa! Hein?... Que tal?

— Ficou bonito, Tatisa. Com o cabelo assim verde você está parecendo uma alcachofra, tão gozado. Não gosto é desse verde na unha, fica esquisito.

Num movimento brusco, a jovem levantou a cabeça para respirar melhor. Passou o dorso da mão na face afogueada.

— Mas as unhas é que dão a nota, sua tonta. É um baile verde, as fantasias têm que ser verdes, tudo verde. Mas não precisa ficar me olhando, vamos, não pare, pode falar, mas vá trabalhando. Falta mais da metade, Lu!

— Estou sem óculos, não enxergo direito sem os óculos.

— Não faz mal — disse a jovem limpando no lençol o excesso de cola que lhe escorreu pelo dedo. — Vá grudando de qualquer jeito que lá dentro ninguém vai reparar, vai ter gente à beça. O que está me endoidando é este calor, não aguento mais, tenho a impressão de que estou me derretendo, você não sente? Calor bárbaro!

A mulher tentou prender o crisântemo que resvalara para o pescoço. Franziu a testa e baixou o tom de voz.

— Estive lá.

— E daí?

— Ele está morrendo.

Um carro passou na rua, buzinando freneticamente. Alguns meninos puseram-se a cantar aos gritos, o compasso marcado pelas batidas numa panela: *A coroa do rei não é de ouro nem de prata...*

— Parece que estou num forno — gemeu a jovem dilatando as narinas porejadas de suor. — Se soubesse, teria inventado uma fantasia mais leve.

— Mais leve do que isso? Você está quase nua, Tatisa. Eu ia com a minha havaiana, mas só porque aparece um pedaço da coxa o Raimundo implica. Imagine você então...

Com a ponta da unha, Tatisa colheu uma lantejoula que se enredara na renda da meia. Deixou-a cair na pequena constelação que ia armando na barra do saiote e ficou raspando pensativamente um pingo ressequido de cola que lhe caíra no joelho. Vagava o olhar pelos objetos, sem fixar-se em nenhum. Falou num tom sombrio:

— Você acha, Lu?

— Acha o quê?

— Que ele está morrendo?

— Ah, está sim. Conheço bem isso, já vi um monte de gente morrer, agora já sei como é. Ele não passa desta noite.

— Mas você já se enganou uma vez, lembra? Disse que

ele ia morrer, que estava nas últimas... E no dia seguinte ele já pedia leite, radiante.

— Radiante? — espantou-se a empregada. Fechou num muxoxo os lábios pintados de vermelho-violeta. — E depois, eu não disse não senhora que ele ia morrer, eu disse que ele estava ruim, foi o que eu disse. Mas hoje é diferente, Tatisa. Espiei da porta, nem precisei entrar para ver que ele está morrendo.

— Mas quando fui lá ele estava dormindo tão calmo, Lu.

— Aquilo não é sono. É outra coisa.

Afastando bruscamente o saiote aberto nos joelhos, a jovem levantou-se. Foi até a mesa, pegou a garrafa de uísque e procurou um copo em meio da desordem dos frascos e caixas. Achou-o debaixo da esponja de arminho. Soprou o fundo cheio de pó de arroz e bebeu em largos goles, apertando os maxilares. Respirou de boca aberta. Dirigiu-se à preta.

— Quer?

— Tomei muita cerveja, se misturo dá ânsia.

A jovem despejou mais uísque no copo.

— Minha pintura não está derretendo? Veja se o verde dos olhos não borrou... Nunca transpirei tanto, sinto o sangue ferver.

— Você está bebendo demais. E nessa correria... Também não sei por que essa invenção de saiote bordado, as lantejoulas vão se desgrudar todas no aperto. E o pior é que não posso caprichar, com o pensamento no Raimundo lá na esquina...

— Você é chata, não, Lu? Mil vezes fica repetindo a mesma coisa, taque-taque-taque-taque! Esse cara não pode esperar um pouco?

A mulher não respondeu. Ouvia com expressão deliciada a música de um bloco que passava já longínquo. Cantarolou em falsete: *Acabou chorando... acabou chorando...*

— No outro carnaval entrei num bloco de *sujos* e me diverti à grande. Meu sapato até desmanchou de tanto que dancei.

— E eu na cama, podre de gripe, lembra? Neste quero me esbaldar.

— E seu pai?

Lentamente a jovem foi limpando no lenço as pontas dos dedos esbranquiçados de cola. Tomou um gole de uísque. Voltou a afundar o dedo no pote.

— Você quer que eu fique aqui chorando, não é isso que você quer? Quer que eu cubra a cabeça com cinza e fique de joelhos rezando, não é isso que você está querendo? — Ficou olhando para a ponta do dedo coberto de lantejoulas. Foi deixando no saiote o dedal cintilante. — Que é que eu posso fazer? Não sou Deus, sou? Então? Se ele está pior, que culpa tenho eu?

— Não estou dizendo que você é culpada, Tatisa. Não tenho nada com isso, ele é seu pai, não meu. Faça o que bem entender.

— Mas você começa a dizer que ele está morrendo!

— Pois está mesmo.

— Está nada! Também espiei, ele está dormindo, ninguém morre dormindo daquele jeito.

— Então não está.

A jovem foi até a janela e ofereceu a face ao céu roxo. Na calçada, um bando de meninos brincava com bisnagas de plástico em formato de banana, esguichando água um na cara do outro. Interromperam a brincadeira para vaiar um homem que passou vestido de mulher, pisando para fora nos sapatos de saltos altíssimos. "Minha lindura, vem comigo, minha lindura!", gritou o moleque maior, correndo atrás do homem. Ela assistia à cena com indiferença. Puxou com força as meias presas aos elásticos do biquíni.

— Estou transpirando feito um cavalo. Juro que se não tivesse me pintado, me metia agora num chuveiro, besteira a gente se pintar antes.

— E eu não aguento mais de sede — resmungou a empregada arregaçando as mangas do quimono. — Ai! uma cerveja bem geladinha. Gosto mesmo é de cerveja, mas o

Raimundo prefere cachaça. No ano passado ele ficou de porre os três dias, fui sozinha no desfile. Tinha um carro que foi o mais bonito de todos, representava um mar. Você precisava ver aquele monte de sereias enroladas em pérolas. Tinha pescador, tinha pirata, tinha polvo, tinha tudo! Bem lá em cima, dentro de uma concha abrindo e fechando, a rainha do mar coberta de joias...

— Você já se enganou uma vez — atalhou a jovem. — Ele não pode estar morrendo, não pode. Também estive lá antes de você, ele estava dormindo tão sossegado. E hoje cedo até me reconheceu, ficou me olhando, me olhando e depois sorriu. Você está bem papai?, perguntei e ele não respondeu mas vi que entendeu perfeitamente o que eu disse.

— Ele se fez de forte, coitado.

— De forte, como?

— Sabe que você tem o seu baile, não quer atrapalhar.

— Ih, como é difícil conversar com gente ignorante — explodiu a jovem, atirando no chão as roupas amontoadas na cama. Revistou os bolsos de uma calça comprida. — Você pegou meu cigarro?

— Tenho minha marca, não preciso dos seus.

— Escuta, Luzinha, escuta — começou ela, ajeitando a flor na carapinha da mulher. — Eu não estou inventando, tenho certeza de que ainda hoje cedo ele me reconheceu. Acho que nessa hora sentiu alguma dor porque uma lágrima foi escorrendo daquele lado paralisado. Nunca vi ele chorar daquele lado, nunca. Chorou só daquele lado, uma lágrima tão escura...

— Ele estava se despedindo.

— Lá vem você de novo, merda! Pare de bancar o corvo, até parece que você quer que seja hoje. Por que tem que repetir isso, por quê?

— Você mesmo pergunta e não quer que eu responda. Não vou mentir, Tatisa.

A jovem espiou debaixo da cama. Puxou um pé de sapato. Agachou-se mais, roçando os cabelos verdes no chão.

Levantou-se, olhou em redor. E foi-se ajoelhando devagarinho diante da preta. Apanhou o pote de cola.

— E se você desse um pulo lá só para ver?

— Mas você quer ou não que eu acabe isto? — a mulher gemeu exasperada, abrindo e fechando os dedos ressequidos de cola. — O Raimundo tem ódio de esperar, hoje ainda apanho!

A jovem levantou-se. Fungou, andando rápido num andar de bicho na jaula. Chutou o sapato que encontrou no caminho.

— Aquele médico miserável. Tudo culpa daquela bicha. Eu bem disse que não podia ficar com ele aqui em casa, eu disse que não sei tratar de doente, não tenho jeito, não posso! Se você fosse boazinha, você me ajudava, mas você não passa de uma egoísta, uma chata que não quer saber de nada. Sua egoísta!

— Mas, Tatisa, ele não é meu pai, não tenho nada com isso, até que ajudo muito sim senhora, como não? Todos esses meses quem é que tem aguentado o tranco? Não me queixo porque ele é muito bom, coitado. Mas tenha a santa paciência, hoje não! Já estou fazendo demais aqui plantada quando devia estar na rua.

Com um gesto fatigado, a jovem abriu a porta do armário. Olhou-se no espelho. Beliscou a cintura.

— Engordei, Lu.

— Você, gorda? Mas você é só osso, menina. Seu namorado não tem onde pegar. Ou tem?

Ela ensaiou com os quadris um movimento lascivo. Riu. Os olhos animaram-se:

— Lu, Lu, pelo amor de Deus, acabe logo que à meia-noite ele vem me buscar. Mandou fazer um pierrô verde.

— Também já me fantasiei de pierrô. Mas faz tempo.

— Vem num Tufão, viu que chique?

— Que é isso?

— É um carro muito bacana, vermelho. Mas não fique aí me olhando, depressa, Lu, você não vê que... — Passou ansiosamente a mão no pescoço. — Lu, Lu, por que ele não ficou no hospital?! Estava tão bem no hospital...

— Hospital de graça é assim mesmo, Tatisa. Eles não podem ficar a vida inteira com um doente que não resolve, tem doente esperando até na calçada.

— Há meses que venho pensando nesse baile. Ele viveu sessenta e seis anos. Não podia viver mais um dia?

A preta sacudiu o saiote e examinou-o a uma certa distância. Abriu-o de novo no colo e inclinou-se para o pires de lantejoulas.

— Falta só um pedaço.

— Um dia mais...

— Vem me ajudar, Tatisa, nós duas pregando vai num instante.

Agora ambas trabalhavam num ritmo acelerado, as mãos indo e vindo do pote de cola ao pires e do pires ao saiote, curvo como uma asa verde pesada de lantejoulas.

— Hoje o Raimundo me mata — recomeçou a mulher, grudando as lantejoulas meio ao acaso. Passou o dorso da mão na testa molhada. Ficou com a mão parada no ar. — Você não ouviu?

A jovem demorou para responder.

— O quê?

— Parece que ouvi um gemido.

Ela baixou o olhar.

— Foi na rua.

Inclinaram as cabeças irmanadas sob a luz amarela do abajur.

— Escuta, Lu, se você pudesse ficar hoje, só hoje — começou ela num tom manso. Apressou-se: — Eu te daria meu vestido branco, aquele meu branco, sabe qual é? E também os sapatos, estão novos ainda, você sabe que eles estão novos. Você pode sair amanhã, você pode sair todos os dias, mas pelo amor de Deus, Lu, fica hoje!

A empregada sorriu, triunfante.

— Custou, Tatisa, custou. Desde o começo eu já estava esperando. Ah, mas hoje nem que me matasse eu ficava, hoje não. — O crisântemo caiu enquanto ela sacudia a cabeça. Prendeu-o com um grampo que abriu entre os dentes. — Perder esse desfile? Nunca! Já fiz muito — acrescentou sacudindo o saiote. — Pronto, pode vestir. Está um serviço porco mas ninguém vai reparar.

— Eu podia te dar o casaco azul — murmurou a jovem, limpando os dedos no lençol.

— Nem que fosse para ficar com meu pai eu ficava, ouviu isso, Tatisa? Nem com meu pai, hoje não.

Levantando-se de um salto, a moça foi até a garrafa e bebeu de olhos fechados mais alguns goles. Vestiu o saiote.

— Brrrr! Esse uísque é uma bomba — resmungou, aproximando-se do espelho. — Anda, venha aqui me abotoar, não precisa ficar aí com essa cara. Sua chata.

A mulher tateou os dedos por entre o tule.

— Não acho os colchetes.

A jovem ficou diante do espelho, as pernas abertas, a cabeça levantada. Olhou para a mulher através do espelho:

— Morrendo coisa nenhuma, Lu. Você estava sem os óculos quando entrou no quarto, não estava? Então não viu direito, ele estava dormindo.

— Pode ser que me enganasse mesmo.

— Claro que se enganou! Ele estava dormindo.

A mulher franziu a testa, enxugando na manga do quimono o suor do queixo. Repetiu como um eco:

— Estava dormindo, sim.

— Depressa, Lu, faz uma hora que está com esses colchetes!

— Pronto — disse a outra, baixinho, enquanto recuava até a porta. — Não precisa mais de mim, não é?

— Espera! — ordenou a moça perfumando-se rapidamente. Retocou os lábios, atirou o pincel ao lado do vidro destapado. — Já estou pronta, vamos descer juntas.

— Tenho que ir, Tatisa!

— Espera, já disse que estou pronta — repetiu, baixando a voz. — Só vou pegar a bolsa...

— Você vai deixar a luz acesa?

— Melhor, não? A casa fica mais alegre assim.

No topo da escada ficaram mais juntas. Olharam na mesma direção: a porta estava fechada. Imóveis como se tivessem sido petrificadas na fuga, as duas mulheres ficaram ouvindo o relógio da sala. Foi a preta quem primeiro se moveu. A voz era um sopro:

— Quer ir dar uma espiada, Tatisa?

— Vá você, Lu...

Trocaram um rápido olhar. Bagas de suor escorriam pelas têmporas verdes da jovem, um suor turvo como o sumo de uma casca de limão. O som prolongado de uma buzina foi-se fragmentando lá fora. Subiu poderoso o som do relógio. Brandamente a empregada desprendeu-se da mão da jovem. Foi descendo a escada na ponta dos pés. Abriu a porta da rua.

— Lu! Lu! — a jovem chamou num sobressalto. Continha-se para não gritar. — Espera aí, já vou indo!

E apoiando-se ao corrimão, colada a ele, desceu precipitadamente. Quando bateu a porta atrás de si, rolaram pela escada algumas lantejoulas verdes na mesma direção, como se quisessem alcançá-la.

A Caçada

A loja de antiguidades tinha o cheiro de uma arca de sacristia com seus panos embolorados e livros comidos de traça. Com as pontas dos dedos, o homem tocou numa pilha de quadros. Uma mariposa levantou voo e foi chocar-se contra uma imagem de mãos decepadas.

— Bonita imagem — disse.

A velha tirou um grampo do coque e limpou a unha do polegar. Tornou a enfiar o grampo no cabelo.

— É um São Francisco.

Ele então se voltou lentamente para a tapeçaria que tomava toda a parede no fundo da loja. Aproximou-se mais. A velha aproximou-se também.

— Já vi que o senhor se interessa mesmo é por isso. Pena que esteja nesse estado.

O homem estendeu a mão até a tapeçaria, mas não chegou a tocá-la.

— Parece que hoje está mais nítida...

— Nítida? — repetiu a velha, pondo os óculos. Deslizou a mão pela superfície puída. — Nítida como?

— As cores estão mais vivas. A senhora passou alguma coisa nela?

A velha encarou-o. E baixou o olhar para a imagem de mãos decepadas. O homem estava tão pálido e perplexo quanto a imagem.

— Não passei nada. Por que o senhor pergunta?

— Notei uma diferença.

— Não, não passei nada, essa tapeçaria não aguenta a mais leve escova, o senhor não vê? Acho que é a poeira que está sustentando o tecido — acrescentou tirando novamente o grampo da cabeça. Rodou-o entre os dedos com ar pensativo. Teve um muxoxo: — Foi um desconhecido que trouxe, precisava muito de dinheiro. Eu disse que o pano estava por demais estragado, que era difícil encontrar um comprador, mas ele insistiu tanto. Preguei aí na parede e aí ficou. Mas já faz anos isso. E o tal moço nunca mais me apareceu.

— Extraordinário...

A velha não sabia agora se o homem se referia à tapeçaria ou ao caso que acabara de lhe contar. Encolheu os ombros. Voltou a limpar as unhas com o grampo.

— Eu poderia vendê-la, mas quero ser franca, acho que não vale mesmo a pena. Na hora que se despregar é capaz de cair em pedaços.

O homem acendeu um cigarro. Sua mão tremia. Em que tempo, meu Deus! em que tempo teria assistido a essa mesma cena. E onde?...

Era uma caçada. No primeiro plano, estava o caçador de arco retesado, apontando para uma touceira espessa. Num plano mais profundo, o segundo caçador espreitava por entre as árvores do bosque, mas era apenas uma vaga silhueta cujo rosto se reduzira a um esmaecido contorno. Poderoso, absoluto era o primeiro caçador, a barba violenta como um bolo de serpentes, os músculos tensos, à espera de que a caça levantasse para desferir-lhe a seta.

O homem respirava com esforço. Vagou o olhar pela tapeçaria que tinha a cor esverdeada de um céu de tempestade.

Envenenando o tom verde-musgo do tecido, destacavam-se manchas de um negro-violáceo que pareciam escorrer da folhagem, deslizar pelas botas do caçador e espalhar-se no chão como um líquido maligno. A touceira na qual a caça estava escondida também tinha as mesmas manchas, que tanto podiam fazer parte do desenho como ser simples efeito do tempo devorando o pano.

— Parece que hoje tudo está mais próximo — disse o homem em voz baixa. — É como se... Mas não está diferente?

A velha firmou mais o olhar. Tirou os óculos e voltou a pô-los.

— Não vejo diferença nenhuma.

— Ontem não se podia ver se ele tinha ou não disparado a seta...

— Que seta? O senhor está vendo alguma seta?

— Aquele pontinho ali no arco...

A velha suspirou:

— Mas esse não é um buraco de traça? Olha aí, a parede já está aparecendo, essas traças dão cabo de tudo — lamentou disfarçando um bocejo. Afastou-se sem ruído com suas chinelas de lã. Esboçou um gesto distraído. — Fique aí à vontade, vou fazer um chá.

O homem deixou cair o cigarro. Amassou-o devagarinho na sola do sapato. Apertou os maxilares numa contração dolorosa. Conhecia esse bosque, esse caçador, esse céu — conhecia tudo tão bem, mas tão bem! Quase sentia nas narinas o perfume dos eucaliptos, quase sentia morder-lhe a pele o frio úmido da madrugada, ah, essa madrugada! Quando? Percorrera aquela mesma vereda, aspirara aquele mesmo vapor que baixava denso do céu verde... Ou subia do chão? O caçador de barba encaracolada parecia sorrir perversamente embuçado. Teria sido esse caçador? Ou o companheiro lá adiante, o homem sem cara espiando por entre as árvores? Uma personagem de tapeçaria. Mas qual? Fixou a touceira onde a caça estava escondida. Só folhas, só silêncio e folhas empastadas na sombra. Mas detrás das folhas, através das manchas pressentia o vulto arquejante da caça. Compadeceu-se daquele ser em pânico, à espera de uma oportunidade para prosseguir fugindo. Tão próxima a morte! O mais leve movimento que fizesse, e a seta... A velha não a distinguira, ninguém poderia percebê-la, reduzida como estava a um pontinho carcomido, mais pálido do que um grão de pó em suspensão no arco.

Enxugando o suor das mãos, o homem recuou alguns passos. Vinha-lhe agora uma certa paz, agora que sabia ter feito parte da caçada. Mas essa era uma paz sem vida, impregnada dos mesmos coágulos traiçoeiros da folhagem. Cerrou os olhos. E se tivesse sido o pintor que fez o quadro? Quase todas as antigas tapeçarias eram reproduções de quadros, pois não eram? Pintara o quadro original e por isso podia reproduzir, de olhos fechados, toda a cena nas suas minúcias: o contorno das árvores, o céu sombrio, o caçador de barba esgrouvinhada, só músculos e nervos apontando para a touceira. "Mas se detesto caçadas! Por que tenho que estar aí dentro?"

Apertou o lenço contra a boca. A náusea. Ah, se pudesse explicar toda essa familiaridade medonha, se pudesse ao menos... E se fosse um simples espectador casual, desses que olham e passam? Não era uma hipótese? Podia ainda ter visto o quadro no original, a caçada não passava de uma ficção. "Antes do aproveitamento da tapeçaria...", murmurou, enxugando os vãos dos dedos no lenço.

Atirou a cabeça para trás como se o puxassem pelos cabelos, não, não ficara do lado de fora, mas lá dentro, encravado no cenário! E por que tudo parecia mais nítido do que na véspera, por que as cores estavam mais fortes apesar da penumbra? Por que o fascínio que se desprendia da paisagem vinha agora assim vigoroso, rejuvenescido?...

Saiu de cabeça baixa, as mãos cerradas no fundo dos bolsos. Parou meio ofegante na esquina. Sentiu o corpo moído, as pálpebras pesadas. E se fosse dormir? Mas sabia que não poderia dormir, desde já sentia a insônia a segui-lo na mesma marcação da sua sombra. Levantou a gola do paletó. Era real esse frio? Ou a lembrança do frio da tapeçaria? "Que loucura!... E não estou louco", concluiu num sorriso desamparado. Seria uma solução fácil. "Mas não estou louco."

Vagou pelas ruas, entrou num cinema, saiu em seguida e quando deu acordo de si, estava diante da loja de antiguidades, o nariz achatado na vitrina, tentando vislumbrar a tapeçaria lá no fundo.

Quando chegou em casa, atirou-se de bruços na cama e ficou de olhos escancarados, fundidos na escuridão. A voz tremida da velha parecia vir de dentro dos travesseiros, uma voz sem corpo, metida em chinelas de lã: "Que seta? Não estou vendo nenhuma seta...". Misturando-se à voz, veio vindo o murmurejo das traças em meio de risadinhas. O algodão abafava as risadas que se entrelaçaram numa rede esverdinhada, compacta, apertando-se num tecido com manchas que escorreram até o limite da tarja. Viu-se enredado nos fios e quis fugir, mas a tarja o aprisionou nos seus braços. No fundo, lá no fundo do fosso podia distinguir as serpentes enleadas num nó verde-negro. Apalpou o queixo. "Sou o caçador?" Mas em vez da barba encontrou a viscosidade do sangue.

Acordou com o próprio grito que se estendeu dentro da madrugada. Enxugou o rosto molhado de suor. Ah, aquele calor e aquele frio! Enrolou-se nos lençóis. E se fosse o artesão que trabalhou na tapeçaria? Podia revê-la, tão nítida, tão próxima que se estendesse a mão, despertaria a folhagem. Fechou os punhos. Haveria de destruí-la, não era verdade que além daquele trapo detestável havia alguma coisa mais, tudo não passava de um retângulo de pano sustentado pela poeira. Bastava soprá-la, soprá-la!

Encontrou a velha na porta da loja. Sorriu irônica:

— Hoje o senhor madrugou.

— A senhora deve estar estranhando, mas...

— Já não estranho mais nada, moço. Pode entrar, pode entrar, o senhor conhece o caminho.

"Conheço o caminho", repetiu, seguindo lívido por entre os móveis. Parou. Dilatou as narinas. E aquele cheiro de folhagem e terra, de onde vinha aquele cheiro? E por que a loja foi ficando embaçada, lá longe? Imensa, real, só a tapeçaria a se alastrar sorrateiramente pelo chão, pelo teto, engolindo tudo com suas manchas esverdinhadas. Quis retroceder, agarrou-se a um armário, cambaleou resistindo ainda e estendeu os braços até a coluna. Seus dedos afundaram por entre galhos e resvalaram pelo tronco de uma árvore, não era uma coluna, era uma árvore! Lançou em volta um olhar esgazeado: penetrara na tapeçaria, estava dentro do bosque, os pés pesados de lama, os cabelos empastados de orvalho. Em redor, tudo parado. Estático. No silêncio da madrugada, nem o piar de um pássaro, nem o farfalhar de uma folha. Inclinou-se arquejante. Era o caçador? Ou a caça? Não importava, não importava, sabia apenas que tinha que prosseguir correndo sem parar por entre as árvores, caçando ou sendo caçado. Ou sendo caçado?... Comprimiu as palmas das mãos contra a cara esbraseada, enxugou no punho da camisa o suor que lhe escorria pelo pescoço. Vertia sangue o lábio gretado.

Abriu a boca. E lembrou-se. Gritou e mergulhou numa touceira. Ouviu o assobio da seta varando a folhagem, a dor!

"Não...", gemeu de joelhos. Tentou ainda agarrar-se à tapeçaria. E rolou encolhido, as mãos apertando o coração.

A Chave

Agora era tarde para dizer que não ia, agora era tarde. Deixara que as coisas se adiantassem muito, se adiantassem demais. E então? Então teria que trocar a paz do pijama pelo colarinho apertado, o calor das cobertas pela noite gelada, como nos últimos tempos as noites andavam geladas! País tropical... Tropical, onde? "Foi-se o tempo", resmungou em meio de um bocejo. Devia haver no inferno o círculo social, aparentemente o mais suportável de todos, mas só na aparência. Homens e mulheres com roupa de festa, andando de um lado para outro, falando, andando, falando, exaustos e sem poder descansar numa cadeira, bêbados de sono e sem poder dormir, os olhos abertos, a boca aberta, sorrindo, sorrindo, sorrindo... O círculo dos superficiais, dos tolos engravatados, embotinados, condenados a ouvir e a dizer besteiras por toda a eternidade. "Amém", sussurrou distraidamente. Cerrou os olhos. Cerrou a boca. Mas por que essa festa? "Estou exausto, compreende? Exausto!", quis gritar, enquanto batia com os punhos fechados na almofada da poltrona. Voltou para a mulher o olhar suplicante, "Então não compreende? Exausto...".

— Tom! Que tal se você já começasse a se vestir?

Claro que não compreendia nada, a cretina. Festa, festa, festa! O dia inteiro e a noite inteira era só festa, era vestir e desvestir para se vestir em seguida, "Depressa que estamos atrasados!". Atrasados... Ter que se barbear, escolher a gravata, encolher a barriga, obrigando-a a se refugiar no primeiro espaço vago, aquela pobre, aquela miserável barriga que não tinha nunca o direito de ficar à vontade, nem isso! E armar a expressão cordial e ficar sorrindo até às cinco da manhã, os olhos escancarados, aqueles olhos mortos de sono!... Mas por quê? Cadelas. Não passavam todas de umas grandes cadelas inventando jantar após jantar para se exibirem.

— Feito putas.

— Que foi que você disse, Tom? — perguntou a mulher entrando no quarto. Vestia apenas uma ligeira combinação de seda preta, mais renda do que seda. — Deu agora para falar sozinho?

Teve um sorriso. Mas assim que a mulher desviou o olhar, sua fisionomia ficou novamente pesada. Recostou a cabeça na poltrona, relaxou os músculos. E bocejou, distendendo as pernas. Se pudesse dormir ao menos aquela noite, enfiar-se na cama com uma botija, uma delícia de botija, criando assim aquela atmosfera terna entre seu corpo e as cobertas... Ô! a melhor coisa do mundo era mesmo dormir, afundar como uma âncora na escuridão, afundar até ser a própria escuridão, mais nada. Antes, o copo de leite quente, bastante açúcar.

— Li numa revista que as mulheres que não dormem no mínimo dez horas por noite acabam com celulite antes dos trinta anos.

Ela escovava os cabelos. Deteve a escova no ar, abriu a cortina espessa da cabeleira e espiou. Tirou um fio de cabelo da escova. Deixou-o cair.

— Celulite?

— Foi o que eu li.

— Bobagem! Depois, isso não me atinge, tenho a carne duríssima, olha aí — acrescentou ela, estendendo a perna nua até a poltrona. — Pegue para ver... Tem mulheres que a carne é mole que nem manteiga, mas a minha parece madeira, olha aí!

Ele tocou com as pontas dos dedos na longa perna bronzeada. Concordou, afetando espanto. E voltou para a janela o olhar enevoado. A quantidade de homens que daria tudo só para ver aquelas pernas. As famosas pernas. Besteira, onda. Baixou o olhar para os próprios pés. Com aquelas meias, pareciam pés de um rapaz, ela gostava das cores fortes. Francisca preferia cores modestas, mas Magô era jovem e os jovens gostam das cores, principalmente os jovens que vivem em companhia de velhos. E que desejam disfarçar esses velhos sob artifícios ingênuos como meias de cores berrantes, camisas esportivas, gravatas alegres, alegria, meus velhinhos, alegria! Dia virá em que ela vai querer que eu pinte o cabelo.

— Mas por que esse jantar agora?

— Ora, por quê! Acho que a Renata quer exibir o nariz novo, ela está de nariz novo, você já viu?

— Já. Ficou pavorosa.

— Você acha mesmo? — espantou-se Magô. Teve um risinho. — O médico cortou demais, foi isso.

— Não sei por que tanto jantar sem motivo nenhum.

— Mas precisa haver motivo especial para um jantar? — perguntou ela inclinando-se. Recomeçou a escovar vigorosamente os cabelos. — E depois, estamos disponíveis, não estamos?

Disponíveis. E como se exprimia bem, a sonsa. Contudo, há alguns anos, que enternecedor vê-la roendo as unhas quando se intimidava. Ou morder o lábio quando não sabia o que dizer. E nunca sabia o que dizer. "Vai desabrochar nas minhas mãos", pensou emocionado até às lágrimas. Desabrochara, sem dúvida. Lançou-lhe um olhar. "Mas não precisava ter desabrochado tanto assim."

Com um gesto lento, abotoou a gola do pijama. Levantou os ombros.

— Como esfriou.

Ela atirou a cabeleira para trás. Passou creme nas pernas, nos pés. Em seguida, devagar, voluptuosamente esfregou as solas dos pés no tapete.

— Sabe que não sinto frio? Já estamos no inverno?

— Em pleno.

— Pois não sinto frio nenhum.

— Acredito — murmurou ele seguindo-a com o olhar.

Descalça, seminua e radiosa como se estivesse debaixo do sol. Tanta energia, meu Deus. Havia nela energia em excesso, ai! a exuberância dos animais jovens, cabelos demais, dentes demais, gestos demais, tudo em excesso. Eram agressivos até quando respiravam. Podia quebrar uma perna. Mas não quebrava, naquela idade os ossos deviam ser de aço. Bocejou.

Ela agora passava creme no rosto, podia ver-lhe os dedos untados indo e vindo em movimentos circulares. Não precisava dormir? Não, não precisava e quando dormia, acordava impaciente, aflita por recuperar o tempo desperdiçado no sono. A perna quebrada seria uma solução...

— Tom querido, você está cochilando! Quer um drinque para animar?

Ele escondeu as mãos nos bolsos do pijama. Abriu com esforço os olhos que lacrimejavam. "Não quero beber, quero dormir!", teve vontade de gritar. Sorriu com doçura.

— Não, Magô, hoje não quero beber nada.

— Se você tomasse um drinque, aposto que se animaria!

— Mas estou animadíssimo...

Ela despejou água-de-colônia nas mãos. Abanou-as em seguida para secá-las. "Sabe que estou olhando e fica então a se exibir", pensou. "Uma exibicionista. Se soubesse a data da morte, doaria depressa o esqueleto à Faculdade de Medicina, para continuar..."

— Lasquei duas unhas — lamentou ela inclinando-se para calçar as meias. — E não me lembro onde foi.

Fechou os olhos. As unhas de Francisca eram curtas, unhas de mãos eficientes, com uma discreta camada de esmalte incolor. Unhas e mãos de velha, incrível como as mãos envelheceram antes. Depois foram os cabelos. Podia ter reagido. Não reagiu. Parecia mesmo satisfeita em se entregar, pronto, agora vou ficar velha. E ficou. Gostava de jogar paciência, as mãos muito brancas deslizando pelo baralho. A vitrola ligada, discos próprios dos programas da saudade. "Mas, Francisca, que horror, esse samba é antiquíssimo, você tem que ouvir coisas novas!" Ela sacudia a cabeça, "Não quero, deixa eu com as minhas músicas, essas outras me atordoam demais!" *Tardes de Lindoia.* Os jardins, os copinhos, "Esta fonte é excelente para reumatismo...".

— Tom, que tal?

Abriu os olhos num estremecimento.

— O quê?!

— Minha peruca! — exclamou Magô contornando com as mãos os cabelos. A franja comprida ameaçava entrar-lhe pelos olhos bistrados. — Você gosta?

— Mas por que peruca? Você tem tanto cabelo, menina.

— Ora, está na moda. E posso variar de penteado, fica fácil.

Molemente ele estendeu o braço até a mesa de cabeceira. Apanhou a caixa de cigarros. Estava vazia. Fechou-a. Melhor, assim fumaria menos. "Na sua idade", começara o médico na última consulta.

Na sua idade. Inútil esquecer essa idade porque as pessoas em redor não esqueciam, há dez anos o pai de Magô já viera com isso embora não tivesse coragem de completar a frase. "Na sua idade..." Ela também estava na sala, fingindo ler uma daquelas infames revistinhas de amor. "Que é que tem na minha idade?", provocara-o. O homem entrelaçou no ventre as mãos nodosas. As unhas eram pretas. "O caso é que minha filha tem só dezoito anos e o senhor tem quarenta e nove, a diferença é muito grande", ponderara, coçando a cabeça com os dedos em garra, exatamente como um macaco se coçaria. "Hoje não soma tanto. Mas daqui a dez anos como vai ser?" Ele então apanhou a capa. O chapéu. Abriu a porta e teve aquele gesto dramático: "Daqui a dez anos o problema de ser corno ou não será um problema exclusivamente meu!".

— Será que o Fernando vai também?

— O Freddy? Não tenho a menor ideia. Por quê?

E já tinha apelido, o pilantra. Freddy.

— Por que Freddy? Por que isso?

— Mas todo mundo só chama ele de Freddy!

Todo mundo era ela. Gostava de pôr apelidos, vinha logo com aquelas intimidades.

— Não entendo como um tipo desses faz sucesso com as mulheres. Analfabeto, gigolô...

— Gigolô?

— É o que corre por aí.

— Ah, Tom, não posso acreditar!

— Se não é, tem cara. Um pilantra de marca fazendo blu-blu-blu naquele violãozinho.

Pensativamente ela calçou os sapatos.

— Tem uma voz linda.

— Voz linda, onde? Uma voz de mosquito, a gente precisa ficar do lado para poder ouvir alguma coisa. Afeminado...

Afeminado ou efeminado? Bocejou. Enfim, uma besta quadrada. E aquelas idiotas babando de maravilhamento. Tinha juventude, mais nada. Crispou os lábios. Tinha juventude. "Ju-ven-tu-de...", murmurou voltando o olhar mortiço em direção ao espelho. Ela adorava espelhos, dezenas de espelhos por toda a casa. Aquele ali então era o pior, aquele que apanhava o corpo inteiro, sem deixar escapar nada. Com ele aprendera que envelhecer é ficar fora de foco: os traços vão ficando imprecisos e o contorno do rosto acaba por se decompor como um pedaço de pão a se dissolver na água.

— Mas, Tom, você não vai mesmo se vestir? Quase nove horas!

— Fico pronto num instante, enquanto você se pinta dá tempo de sobra.

— E a barba? Não vai fazer?

— Mas é preciso? — gemeu passando a mão no queixo. — Já fiz a barba hoje, minha pele está ficando escalavrada de tanta gilete.

— Então vá com essa cara de misericórdia mesmo! Já disse, Tom, já disse que você fica abatidíssimo com a barba crescida. Parece um velho.

— Eu sou velho.

— Ah, lindinho, não fale assim, vamos, levanta, vai fazer sua barbinha — pediu ela acariciando-lhe a cabeça.

— Não.

— Nunca vi tamanha má vontade, francamente!

— Fazer o quê nesse jantar, me responda depressa.

— Comer, ora...

— Mas se não posso comer nada, tenho o regime. O que preciso é de dormir, dormir!

— Pois durma!

Encarou-a. Era o que ela queria.

— Ainda vou ficar pronto antes de você — ameaçou, apoiando as mãos na poltrona.

Chegou a se levantar. E deixou-se cair novamente. Fechou os olhos. Bocejou. Contaria até cinco e então se levantaria como um raio. Até dez... Esfregou os olhos.

— Meu Deus.

— Está com alguma dor, Tom?

Lançou-lhe um olhar demorado.

— Você está linda.

— Eu, linda?!

Sorria ainda. Elas negavam sempre, fazia parte do jogo. Francisca era o oposto e contudo tivera aquela mesma expressão a última vez em que lhe dissera isso, "Francisquinha, você está linda". Ela então inclinara a cabeça para o ombro num muxoxo: “Ah, Tomás, eu? Linda?...”. Não deixou que ela prosseguisse negando: “Linda, sim, quando você se enfeita um pouco fica uma beleza, você precisa ser mais vaidosa, querida. Veja as outras mulheres em seu redor!”. Ela voltara a colocar os óculos. “Mas na minha idade, Tomás...”

Aquela obsessão de idade. Por que falava tanto em idade? Chegava a ser irritante às vezes. “Também tenho cinquenta anos, como você, não tenho? Por acaso vou agora cobrir a cabeça e esperar a morte?” Ela colocara o disco na vitrola. “Tomás, você já viu como a noite está bonita? Por que não vai dar uma volta?” Ele foi. Na volta, encontrara Magô. Teve a sensação de nascer de novo quando ela o chamou de Tom. Sentira-se um outro homem. Outro homem. Que anúncio usava essa frase? “Fiquei um outro homem.” O anúncio estava num bonde, devia ser de um xarope. Fazia tanto tempo. Saudade de andar de bonde, ir lendo os anúncios, os avisos tão cordiais, tão prudentes: “Espere até o bonde parar!”. Tempo da prudência, tempo da consideração. Era bom deslizar pelas ruas desertas, cochilar naquele balanço para a direita, para a esquerda, como num berço...

— Então, Tom, resolva logo, a Renata fica uma fúria quando a gente se atrasa.

— Eu quero que essa Renata vá pro fundo do inferno.

— Tom!

— Ela com toda a sua corja de convidados.

— Ih, como você anda desagradável — exclamou a jovem fechando o zíper do vestido. — Você não faz ideia como anda desagradável ultimamente.

“Ando com sono”, ele quis dizer. Levantou friorento a gola do pijama até as orelhas. Abriu a boca para bocejar, as mãos em concha diante da boca, aquecendo-as com o bafo. Dormiria uma noite inteira e a outra noite inteira e a outra ainda... Noites e noites dormindo até morrer de dormir. Na vitrola, a musiquinha sem neurose. E Francisca ao lado, entretida na sua paciência, ah, como amava aquele doce som das cartas que murmurejavam sobre a mesa enquanto também ela murmurava coisas que não exigiam resposta. Queria um valete, vinha uma dama: "Não era de você que eu estava precisando", ralhava. Os móveis antiquados. Os vestidos antiquados. A beleza antiquada. "Mas, Francisquinha, você precisa usar uns vestidos mais atuais, precisa se pintar!" Deu-lhe um vidro de perfume. Deu-lhe um batom que viu anunciado numa revista, uma nova tonalidade que fazia até as estátuas despertarem, estava escrito, com essa cor até as estátuas acordam! Deu-lhe um colar de contas vermelhas, dezenas de voltas vermelhas, "Somos jovens ainda, minha querida! Vamos reagir?". Olhara-o com uma expressão reticente. Seria ironia? Não, talvez nem isso, era generosa demais para ser irônica. Olhara-o quase como uma mãe olha para o filho antes de lhe entregar a chave da porta.

— Tom, você acha que esta luva combina?... Tom, estou falando, responda!

— Combina, meu bem, combina.

— Quem sabe a verde?

— Essa está ótima.

Quase como uma mãe olhando para o filho. Então ele baixou a cabeça e saiu. Na rua, sentira-se um adolescente apertando a chave no bolso. "Sou livre!", quisera gritar às pessoas que passavam, aos carros que passavam, ao vento que passava. "Livre, livre!"

Ah, se pudesse voltar sem nenhuma palavra, sem nenhuma explicação. Ela também não diria nada: era como se ele tivesse ido comprar cigarros. "Tudo bem, Francisquinha?", perguntaria ao vê-la franzir de leve as sobrancelhas. Ela se inclinaria para o baralho: "Está me faltando uma carta...".

A voz de Magô pareceu-lhe anônima. Irreal. Ouviu a própria voz pastosa mas tranquila.

— Vá você, querida. Divirta-se.

Ela ainda insistiu. Teria mesmo insistido? Os saltos do sapato ecoaram no silêncio como pancadas algodoadas, fugindo rápidas. Estendeu a mão até a cama e puxou a coberta. Cobriu-se. Tudo escuro, tudo quieto. O perfume foi-se suavizando e ficou o perfume de um jardim de estátuas, estátuas alvíssimas que dormiam sem pupilas, nenhuma cor conseguiria fazer com que abrissem as pálpebras. Estendeu molemente as pernas. As pernas de Magô ressurgiram na escuridão: dançava nua, esfregando os pés no tapete enquanto a música do violão foi subindo pelas suas pernas, como meias. Agitou-se e quis fechar a porta na cara do homem de unhas pretas, "O problema é meu!". A música decomposta já chegava até as coxas das pernas de colunas, "Cuidado, Magô! O Fernando não!...".

Dançarina e músico pousaram como poeira na antiga mesa. Abriu-se num leque o baralho murmurejante. E reis com pés de lã foram saindo, arrastando seus mantos de arminho. Enrolou-se num dos mantos e ficou sorrindo para Francisca. Ela parecia luminosa no seu vestido de opalina rosada, mordiscando de leve a ponta de uma carta. "Posso?", perguntou-lhe, deitando a cabeça no seu colo.

Devolveu-lhe a chave.

Meia-Noite em Ponto em Xangai

A longa bata de brocado azul caiu-lhe aos pés. Avançou nua em direção ao espelho de moldura de laca vermelha. Girou sobre os calcanhares para se ver de perfil. Levantou o busto. Encolheu o estômago. Olhando ainda para o espelho, como se convidasse a própria imagem a acompanhá-la, mergulhou na banheira. Cerrou os olhos, as mãos flutuando à altura do ventre. Um leve rubor coloriu-lhe o rosto. Ficou assim imóvel durante algum tempo.

— Wang! — chamou, sentando-se na banheira. — Wang!

O chinês entrou na sala de banho. Cruzou as mãos e inclinou um pouco o corpo para a frente. Tinha os olhos baixos:

— Madame?...

— Os sais.

O homem aproximou-se do toucador de laca vermelha. Um ligeiro vapor d'água embaçava o espelho e os frascos de perfume, dispostos sobre a toalha de renda dourada. Havia dois boiões de sais: um amarelo, o outro rosado.

— Magnólia, madame?

— Magnólia.

O chinês destapou o boião amarelo. Colheu os sais com uma concha. Em seguida, delicadamente, foi deixando que caíssem na água.

— Suficiente, madame?

Entreabriu os olhos. Aspirou o perfume de magnólia. Os sais cintilavam como areia dourada sobre seu corpo.

— E Ming?

— Está dormindo no sofá — disse o chinês apanhando a bata. Estendeu-a cuidadosamente na cadeira. Curvou-se: — Mais alguma coisa, madame?

— Vá buscar o Ming.

O chinês era alto e magro. Poderia ter trinta anos, poderia ter cinquenta. Usava alparcatas pretas e uma túnica preta, abotoada até o pescoço. Pisava mansamente, como falava. Os gestos redondos.

— Meu queridinho, será que você não cansa de dormir? — murmurou a mulher, acariciando o focinho do pequinês cor de mel. E para o criado: — Trouxe o uísque?

— E também o gelo — acrescentou ele, o olhar inexpressivo na direção da mulher que se ensaboava. — Chegou uma cesta de flores, madame.

— Mais flores? Ponha com as outras no corredor... Não, espera, pode pôr perto da janela. Quando você sair, leve para fora. E acenda as luzes da sala, Mister Stevenson deve estar chegando.

— Então é ele que está batendo.

— Estão batendo? Não ouvi nada.

O chinês deixou a porta entreaberta e dirigiu-se para a sala no seu passo tranquilo. Pela fresta ela viu passar o homem de *smoking* e cachimbo.

— Stevenson? Sente-se aí, meu caro. Já estou saindo do banho, um momento!

— Não se apresse, vim apenas cumprimentá-la mais uma vez, não podia dormir sem dizer-lhe que foi extraordinário! Nunca ouvi coisa igual na minha vida!

— Verdade? — Mergulhou voluptuosamente até às orelhas. — Para ser sincera, não gostei muito da minha interpretação, a *Du bist die Ruh* podia ter sido melhor, não podia?

— Mas, madame, foi esse o seu ponto máximo!

Ficou de pé dentro da banheira. Sacudiu-se friorenta.

— Wang! Ligeiro, minha toalha! E feche a porta.

Enxugou-se rapidamente e apanhou o frasco de água-de-colônia. Perfumou-se, pródiga.

— Já vou indo, Stevenson!

O homem serviu-se de uísque.

— Jamais a China ouviu cantora igual — exclamou, levantando o copo: — Bebo à saúde da maior soprano dramática do mundo!

Ela sorria ainda, polvilhando o corpo de talco. Vestiu a bata, amarrou o cinto e voltou-se lânguida para o espelho. Abotoou os lábios como se fosse beijar a própria imagem. Calçou as chinelas bordadas.

— Você é tão generoso, Stevenson.

— Não ouvi, madame...

— Eu disse que você é generoso demais!

— Generoso, por quê? Foi mesmo um sucesso, madame. E os convites que temos recebido? Laffont, dono de quase todos os cassinos e estádios de corridas de cães, um dos tipos mais ricos da China, quer que madame cante na recepção que vai dar na quinta-feira. Quer presenteá-la com joias...

A mulher tirou os grampos da cabeça. A basta cabeleira loura caiu-lhe até os ombros. Escovou-a de leve e atirou-a para as costas. Abriu a porta.

— Quero uma cama de jade.

Ele beijou-lhe a mão numa profunda reverência.

— Madame terá um palácio de jade.

— Ah, Stevenson, Stevenson... Não estou tão certa assim, meu caro. Lotte Lehman me deixa longe.

O homem franziu as sobrancelhas eriçadas. Tremiam-lhe as bochechas luzidias, cheias de veiazinhas roxas:

— Jamais a Lehman cantou como madame cantou esta noite. Pena o público, essa chinesada... Queria que hoje estivéssemos em Londres.

Ela bebia lentamente, sorrindo para a própria imagem refletida no espelho que ocupava quase toda a parede da sala.

— A *Du bist die Ruh* ela canta melhor do que eu.

Inclinando-se gravemente para a mulher, Stevenson tomou um ar imponente.

— Se a perfeição dura no tempo um só minuto, como queria Shakespeare, madame atingiu o seu minuto esta noite.

Recostando a cabeça no espaldar da poltrona, a mulher teve um risinho, "Ah, meu caro...". O cachorro arranhou-lhe a barra do brocado. Latiu, estridente.

— Wang! — chamou ela. — Dê um banho no Ming. Mas com água bem quente, que a noite está meio fria. — Voltando-se para o homem disfarçou um bocejo: — Mas então, Stevenson? Você dizia...

— Madame deve estar cansada, a glória cansa — sentenciou, olhando o relógio de pulso. — Acabo este uísque e já saio.

— Que horas são?

— Meia-noite em ponto em Xangai.

— E em Londres? — perguntou ela, fazendo girar a pedra de gelo no uísque. Teve um olhar sonhador para o céu negro, sem estrelas: — Na próxima vez quero cantar toda de preto, só com meu adereço de turquesas. Tem que ser um vestido espetacular, a cauda barrada de plumas... E o leque de plumas, adoro plumas.

Stevenson olhou pela porta entreaberta da sala de banho, onde o chinês lavava o cachorro debaixo da torneira.

— Pois eu desejaria apenas usar a roupa desse escravo aí dentro, desejaria mesmo ser esse escravo para de vez em quando levar a toalha à madame.

— Não queira ser isso, meu caro... Esse chinês não existe. Pode me ver nua, pode me ver de qualquer jeito, tanto faz, para mim ele não existe. Não sei explicar, mas não o considero realmente como gente. É como esta poltrona, este copo, esta almofada... Ou melhor, é como um bicho. Não me dispo diante do meu pequinês? É bom assim, fico tão à vontade. Acho que vou encaixotá-lo com a minha bagagem, meus criados andam impossíveis.

— Mas é um homem, madame. Um pária miserável, mas homem.

— Homem, homem... É um chinês, Stevenson.

— Não tem cara de quem toma ópio. Mas deve tomar, todos são viciados, o que é a nossa sorte. Madame já imaginou essa multidão acordada? Não estaríamos aqui agora...

— E o seu criado de quarto?

— Um parvo total. Deve ser o pior do hotel.

— Esse é razoável. E não cheira a peixe, como os outros — murmurou ela voltando o olhar para o lustre.

Pela primeira vez reparou nas pequeninas borboletas de porcelana azul, pousadas nas papoulas de porcelana e cristal desabrochadas em lâmpadas. Deslizou o olhar pelo biombo com pássaros e flores de madrepérola. Sorriu, melíflua:

— Pondo-se de lado o povo, tudo aqui é tão gracioso, tão amável. Eu não gostaria que isso mudasse, Stevenson.

— Não mudará, madame.

O cachorro escapou das mãos do criado e entrou correndo na sala. Sacudiu-se todo.

— Ming, você está me espirrando água — queixou-se a mulher, afastando-o. — Wang! depressa, a toalha que o pobrezinho está tremendo de frio... Por que deixou ele escapar?

O homem examinou o chinês mais atentamente.

— Ele entendeu o que nós dissemos? Tem cara de quem não entendeu nada.

— Entendeu tudo.

— Tudo?

— Lógico. Mas isso também não tem a menor importância.

— Meu criado só entende monossílabos. Já me queixei, vai ser posto na rua. Num hotel desta categoria um camareiro não saber inglês. Absurdo.

Ajoelhado no tapete, o chinês enxugava o cachorro que gania em meio aos calafrios.

— Chega, Wang. Deixe ele agora em cima da almofada.

O homem desviou do chinês o olhar. Bebeu o último gole de uísque.

— Vou indo, madame. Almoçamos juntos amanhã?

Acompanhou-o até a porta.

— Se acordar até a hora do almoço... Então oferecerei ao meu querido empresário um vinho de arroz. E uma sopa de barbatanas de tubarão.

— Dizem que aquilo é barbatana, mas desconfio que é cobra — murmurou ele, beijando a mão da mulher. — Essa gente é muito cavilosa, nunca se sabe.

Tomando-o pelo braço:

— Stevenson, você disse que a perfeição dura um minuto...

— Shakespeare, madame, Shakespeare.

— Tenho medo de ter alcançado já o meu minuto.

Ele aprumou-se. Apertou-lhe as mãos.

— Segundo meus cálculos, o minuto de madame durará ainda algumas centenas de concertos. Boa noite, rainha.

Ela teve um sorriso meio incerto. Fechou a porta e dirigiu-se à sala. A voz ficou de novo fria.

— Pode apagar as luzes todas, deixe só o abajur pequeno aceso. E leve as flores para o corredor — ordenou entrando na sala de banho. Passou creme em redor dos olhos. — Avise na portaria que não estou para ninguém na parte da manhã. Para ninguém, ouviu?

— Está bem, madame. Boa noite.

Não respondeu. Quando voltou à sala, encontrou-a na penumbra, iluminada apenas pela fraca luz do abajur. Apanhou uma amêndoa, trincou-a, aproximando-se da janela. As flores da cesta brilhavam no escuro como se fossem feitas de material fosforescente.

— Wang, você ainda está aí? Por que não levou as flores?

Não teve resposta. Apertou o cinto da bata e estendeu-se

molemente na poltrona diante da janela. O cachorro lambeu-lhe os pés. Ela puxou uma almofada.

— Deite-se aí, Ming — murmurou, inclinando-se. E voltou-se para o fundo da sala: — Wang?...

Eram raros e indistintos os ruídos que vinham lá de fora. Concentrou-se, mas dessa vez não olhou para trás.

— Wang? É você, Wang? Pegue as flores e vá-se embora, já disse.

Destacando-se dentre os sons menores, o trepidar de um riquixá subindo penosamente a rua. A mulher apoiou-se nos braços da poltrona, pronta para se levantar. Continuou sentada, olhando para a frente. Empertigou-se:

— Wang, eu sei que você está aí atrás, ouviu bem? Deixe de se esconder, vá-se embora! É uma ordem, Wang!

Na trégua de silêncio sua voz soou artificial, como se viesse do bojo do gramofone ao lado do biombo. O pequinês esticou o pescoço. Olhava fixadamente um ponto além da poltrona onde estava a mulher. Rosnou baixinho.

— Quieto, Ming! Quieto.

O cão baixou as orelhas, tremendo. Enfiou o focinho entre as patas, mas os olhos, esbugalhados, continuavam fixos no mesmo ponto. Ganiu doloridamente. Ela afundou aos poucos na cadeira. Não despregava o olhar do cachorro.

— Wang, deixe de ser idiota e saia imediatamente, está me ouvindo? Vamos! Saia!

O silêncio era agora tão compacto que os ruídos da rua já não conseguiam penetrá-lo. O cachorro rosnou mais uma vez, lambendo a pata.

A mulher foi-se encolhendo, agarrada aos braços da poltrona. Cravou o olhar esgazeado no retângulo negro do céu. Encolheu-se mais ainda, cruzando os braços. Limpou as mãos pegajosas no brocado da bata. Susteve a respiração.

A Janela

A mulher estendeu-lhe a mão e sorriu. O homem pareceu não ter notado o gesto. Ficou imóvel no meio do quarto, os braços caídos ao longo do corpo, o olhar fixo na janela.

— Havia ali uma roseira.

Lentamente ela amarrou na cintura o cinto do penhoar de seda japonesa. Examinou mais atenta o homem alto e magro, um pouco arcado, de cabelos grisalhos com reflexos de prata.

— Que roseira?

— Uma roseira — disse ele num tom velado, vagando o olhar pelo quarto. — Certa vez, deu mais de cem rosas. Umas rosas enormes, vermelhas...

— Como é que o senhor sabe?

— Meu filho morreu neste quarto.

Ela sentou-se na beirada da cama. O riso foi-se desfazendo nos lábios grossos, mal pintados.

— Seu filho?!

— Este era o quarto dele — disse o homem voltando para a mulher o olhar fatigado. Tinha olhos palidamente azuis e falava baixinho, como se receasse ser ouvido. Um olho era bem maior do que o outro. — Exatamente onde está sua cama ficava a cama dele.

Ela descruzou as pernas e lançou um olhar constrangido para a cama coberta de almofadas coloridas. Sorriu sem vontade.

— Imagine... Isso faz muito tempo?

— Não sei.

Encarou-o. Estendeu-lhe o maço de cigarro.

— Está servido?

— Não fumo.

— No que faz bem. Diz que fumo dá aquela doença que nem gosto de falar. Queria ver se deixava mas quando deixo engordo que nem louca — lamentou fazendo um muxoxo. — A gola do penhoar abriu-se no peito. Ela fechou a gola frouxamente, de maneira que voltasse a se abrir de novo. — O senhor... você não quer se sentar? — convidou, indicando a pequena cadeira vermelha ao lado da mesa de toalete. — Fique à vontade, meu bem.

Ele sentou-se, encolhendo as longas pernas para não tocar nas da mulher. Entrelaçou as mãos. Vestia-se corretamente, mas a roupa parecia larga demais para seu corpo.

— Eu precisava rever essa janela.

— Só a janela?

O homem fixou na mulher o olhar desesperado.

— Meu filho morreu aqui.

— Deve ter sido horrível — disse ela depois de um breve silêncio. Soprou, nostálgica, a brasa do cigarro. Encarou o homem. E tentou uma risadinha: — Sorte a minha de ter escolhido este quarto, só assim podia te conhecer... Sabe que você é o meu tipo? Vem, senta aqui comigo!

— Era ele quem cuidava da roseira.

No cômodo ao lado alguém ligou um toca-discos. A música arrastou-se na surdina, era um samba-canção. Pigarreando forçadamente, a mulher teve um meneio de ombros. A gola do penhoar abriu-se até os bicos dos seios. Cruzou as pernas deixando cair no chão a sandália dourada. Descobriu os joelhos roliços.

— Mas então? Você trabalha por perto? Me dê sua mão, deixa eu adivinhar o que você faz... Sei ler mão, uma vez disse pra um cara, você vai ganhar na loteria! E não é que ele ganhou mesmo? Me dá sua mão e eu já digo o que você faz, dá aqui, amor...

— Não trabalho — murmurou ele percorrendo com o olhar o teto do quarto. Deteve-se na janela. — Não é estranho? Assim sem a roseira ela parece menor.

Esticando o braço nu, a mulher esmagou no cinzeiro a brasa do cigarro. Enfiou as mãos nos cabelos encaracolados, puxando-os para trás. Examinou o homem, intrigada.

— Quando me mudei não tinha nenhuma roseira.

— Morreu exatamente um mês depois dele.

— Pois quando cheguei aqui nem o canteiro tinha. Isso já faz três anos. Sou de Rio Preto, já contei?

O homem tirou do bolso uma pequena caixa de injeção e ficou a rodá-la entre os dedos. Repuxou a boca numa contração.

— Na véspera de morrer ele ainda me pediu que eu abrisse a janela, queria sentir o perfume... Enquanto pôde, debruçou-se nela. Depois, quando perdeu as forças, ficava olhando da cama. Um galho da roseira insistia em entrar pelo quarto adentro. Era um galho tão áspero, tão violento, eu o afastava, mas ele vinha novamente cheio de espinhos e folhas... Nunca tive coragem de cortá-lo.

A mulher foi afundando na cama até recostar-se no ângulo do espaldar com a parede. Puxou uma almofada e nela apoiou o cotovelo. Apertou os olhos. E ficou mordiscando a unha do polegar. Falava agora em voz baixa, no mesmo tom abafado do visitante.

— Que é que você tem aí dentro? Injeção?

— Nada — sussurrou ele, abrindo a caixa. Ergueu a face perplexa: — Está vazia.

Uma porta bateu com estrondo. A mulher teve um estremecimento.

— Sempre me assusto quando uma porta bate — desculpou-se. — Fico nervosa à toa...

— Queria que me perdoasse — pediu ele num tom mais baixo ainda. — Mas é que eu precisava ver essa janela.

— Fique à vontade, imagine... O que é de gosto, regalo da vida!

— Era muito importante para mim voltar aqui.

— Já entendi, essas coisas eu entendo, pode deixar... Você é estrangeiro?

— Meu pai era dinamarquês.

— Dinamarquês — repetiu a mulher inexpressivamente. Inclinou-se para apanhar o cigarro. — Logo que você entrou, achei que devia ser estrangeiro. Posso saber seu nome?

Ele baixou a cabeça. As veias da fronte dilataram-se, tortuosas. Assim, de cabeça baixa, parecia um velho.

— As casas deviam ter mais janelas.

Passos ressoaram pesadamente no cômodo vizinho. A música foi interrompida, fazendo a agulha riscar o disco. A mulher encolheu as pernas. Cobriu com uma almofada os pés nus. Fechou no pescoço a gola do penhoar.

— A Brigite é apaixonada por esse disco, repete ele umas cem vezes por dia. Agora está mudando de lado. Quer que eu vá pedir pra parar?

— Não se incomode — ele sussurrou estendendo a mão espalmada na direção da mulher. Recolheu depressa a mão quando a viu estremecer. — Assustei-a?

— Que nada! É que sou mesmo assim, ando nervosa, acho que é o calor, está hoje um calor, não está? Mas posso pedir pra ela diminuir, vou num minuto...

— É aqui que está o botão para diminuir o som — disse ele apontando para o ouvido. — Todos os botões estão em nós mesmos.

Recomeçou a música acompanhada por uma voz de mulher, cantarolando meio distraída.

— O senhor sabe as horas? Marquei hora na Mirtes.

— Não tenho relógio. Mas por que me chamou de senhor? — ele quis saber examinando-a com uma expressão afetuosa. — Nos reuníamos junto da lareira. Foi na casa desse avô que eu vi a neve pela primeira vez. Cobria tudo, não se podia nem abrir a vidraça. Então ficávamos na sala, brincando perto da lareira. Tinha um corcundinha de roupa amarela e chapéu de guizos. Os dentes eram de ouro. Eu rolava com ele no tapete, fazendo-lhe cócegas só para ver seus dentes...

— Também tenho um dente de ouro — começou ela em meio de um risinho. — Só que é lá no fundo. Às vezes dói, o bandido.

— Começa hoje a primavera. Você teria rosas lindíssimas.

A mulher ficou de joelhos na cama. Estava pálida. Os lábios trêmulos. Falava agora como ele, delicadamente.

— Olha, espere um pouco que vou buscar um refresco pra nós, tá? A Nanci fez uma delícia de refresco, uvaia com bastante açúcar, bem geladinho.

Ele descruzou as mãos e ficou a olhar para os dedos longos, abertos num espanto. A voz rouca saiu entrecortada.

— Não seria preciso mais do que uma pequena janela. Poderia então respirar. E quem sabe o galho de roseira...

Ainda de joelhos, sem ruído, a mulher foi deslizando para o chão. Abriu a porta.

— Fique bonzinho, volto num instante, tá?

Escurecia. A sombra arroxeada do crepúsculo dava uma coloração de vinho velho à coberta vermelha da cama. O vento soprou mais forte, fazendo farfalhar o saiote de papel de seda da bonequinha vestida de bailarina, dependurada no espelho por um fio. No toca-discos, a agulha riscava obstinadamente o disco que chegara ao fim. O homem não se moveu na cadeira vermelha, tão integrado na penumbra quanto os objetos em redor.

— Demorei muito? — perguntou a mulher entrando sorrateira. — É que fui buscar laranjas, o refresco tinha acabado, fiz outro, está na geladeira — acrescentou atropeladamente. Mantinha-se junto da porta, a mão torcendo o trinco. — Vou acender a luz, está escuro demais, credo!

— Não, por favor, está tão bom assim — pediu ele com doçura. Falava num tom quase inaudível: — E nesta hora que começa o perfume, a gente sente melhor no escuro.

— Perfume de quê?

— De rosas.

Ela encostou a cabeça na porta, os olhos muito abertos, a respiração curta. Vinha agora do corredor um ruído arrastado de passos. Vozes de homens e mulheres cruzaram-se precipitadas. Abriu-se a porta. Um enfermeiro entrou a passos largos, seguido por outro enfermeiro. Três mulheres de ar assombrado ficaram espiando do lado de fora. Alguém acendeu a luz.

O homem levantou-se e tapou os olhos com a mão. Aos poucos foi levantando a cabeça, os olhos ainda apertados. Pôde então encarar o enfermeiro que desdobrava uma camisa de força. Estendeu tranquilamente as mãos. Tinha na fisionomia uma expressão de profunda tristeza.

— É preciso?

O enfermeiro teve um sorriso contrafeito. Encolheu os ombros enquanto dobrava a camisa. E aproximou-se com brandura.

— Então vamos.

Ele teve um último olhar para a janela. Depois voltou-se para a mulher, descalça e encolhida num canto. Falou tão baixo que só ela pôde ouvi-lo.

— Por quê?...

O segundo enfermeiro tomou-lhe o braço e em silêncio o cortejo foi saindo para a rua.

Como se obedecessem a um secreto sinal, as três mulheres precipitaram-se para dentro do quarto, rodeando a companheira que continuava colada à parede, fechando no peito a gola do penhoar.

— Que horror! — exclamou a mulher de lenço amarelo amarrado na cabeça. — Como é que você não morreu de susto? Fechada com um louco aqui dentro? Só de pensar fico toda arrepiada, olha aí!

— Mas até que ele tinha uma cara bem simpática — disse a loura de brincos. — Era meio parecido com aquele artista de cinema, aquele meio velho, como é mesmo o nome dele? James...

— Ah! não quero nem saber, Deus que me livre de topar com um louco — interrompeu-a a mulher de lenço. — E como é que você descobriu que ele tinha fugido? Puxa vida, que você dava até para trabalhar na polícia! Isso prova que a gente devia ter um revólver no quarto. Metralhadora, minha filha.

— Coitado, fiquei com tanta pena... E nem fez nada, não foi? — perguntou a loura, voltando-se para a amiga. — Podia ter abusado, não abusou. Palavra que fiquei com pena, ele lembrava muito aquele artista, nós vimos a fita juntas, o nome começava com James...

Repentinamente a mulher pareceu despertar no canto onde se encurralara. Abarcou as três mulheres num olhar enfurecido. Empurrou-as para fora do quarto:

— E chega, ouviram? Chega! Vão-se embora, me deixem em paz!

— Mas que bruta! A gente estava só querendo...

— Chega! — gritou ela, fechando os punhos. — Saiam todas, vamos, você aí também, fora! Fora!

Bateu a porta com estrondo. Por um momento prosseguiram ainda as vozes das mulheres falando exaltadas, ao mesmo tempo. Em seguida, num tropel, desandaram para a rua.

Viu-se no espelho, desgrenhada e descalça. Desviou depressa o olhar da própria imagem. Apagou a luz. E sentando-se na cadeira onde o homem estivera sentado, ficou olhando a janela.

Um Chá Bem Forte e Três Xícaras

A borboleta pousou primeiramente na haste de uma folha de roseira que vergou de leve. Em seguida, voou até a rosa e fincou as patas dianteiras na borda das pétalas. Juntou as asas que se colaram palpitantes. Desenrolou a tromba. E inclinando o corpo para a frente, num movimento de seta, afundou a tromba no âmago da flor.

Maria Camila chegou a estender a mão para prendê-la pelas asas. Não completou o gesto. Entrelaçou novamente as mãos no regaço e ficou olhando. Era uma borboleta amarela, com um fino friso negro debruando-lhe as asas.

— Deve ser uma borboleta jovem — disse Maria Camila.

— Jovem? — repetiu a mulher debruçada na janela que dava para o jardim.

— Veja, as asas ainda estão intactas. E está sugando com tamanha força... Haverá tanto suco assim?

— Essa rosa abriu ontem cedo, a senhora lembra? E já está murchando — disse a mulher prendendo com um alfinete a alça do avental.

Maria Camila voltou-se para a janela. Estava sentada

numa cadeira de vime, entre os dois canteiros do jardim. No céu azul-claro, as nuvens iam tomando uma coloração rosada. Havia uma poeira de ouro em suspensão no ar.

— Você ainda não pregou essa alça, Matilde?

— Não sei onde o botão foi parar.

— Pegue outro na minha caixa. Mas agora não! — pediu ela ao ver que a empregada já se dispunha a voltar para o interior da casa. Baixou o olhar até a roseira. — A gente vai clareando à medida que envelhece mas as rosas vermelhas vão escurecendo, veja, ela está quase preta.

— E essa borboleta ainda...

— Deixa — atalhou Maria Camila. Uniu as mãos espalmadas no mesmo movimento com que a borboleta unira as asas. Suas mãos tremiam. — Há de ver que a rosa está feliz por ter sido escolhida.

— Mas desse jeito ela vai morrer mais depressa.

— É melhor deixar.

A empregada passou lentamente a ponta do avental no peitoril da janela. Acompanhou com o olhar uma andorinha que cruzou o jardim num voo raso e desapareceu atrás do muro da casa vizinha. Suspirou.

— Acho que essa borboleta já esteve ontem por aqui, a senhora não viu?

Maria Camila concordou com um leve movimento de cabeça. Examinou com espanto as próprias mãos cheias de sardas.

— É a mesma.

— Acostumou — disse a mulher num tom indiferente. Fixou o olhar vadio nos ombros estreitos da patroa. — A senhora não quer que traga o chá?

— Estou esperando a menina.

— Mas a que horas ela ficou de aparecer?

— Às cinco — disse Maria Camila apertando os olhos. Inclinou-se para o relógio-pulseira. E escondeu no regaço as mãos fechadas. — Às cinco em ponto.

Foi emergindo do silêncio da tarde o zunido poderoso

de uma abelha. O riso de uma criança explodiu tão próximo que pareceu brotar de dentro do canteiro.

— Essa menina... — E a empregada fez uma pausa para ajustar melhor o pente nos cabelos grisalhos: — Eu conheço?

— Não, não conhece.

— Quantos anos ela tem?

— Uns dezoito.

— Mas então não é menina!

Maria Camila fixou no céu o olhar perplexo. Voltou a examinar o relógio-pulseira. E cruzou os braços tentando dominar o tremor das mãos.

— Desde ontem ela já rondava por aqui. Cismou com essa rosa, tinha que ser essa rosa.

— Trabalhei na casa de um padre que tinha um canteiro só de roseiras brancas. Como duravam aquelas rosas!

Por um breve instante Maria Camila fixou-se de novo na borboleta. Teve uma expressão de repugnância.

— Chega a ser obsceno...

— Mas é sabido que as vermelhas têm mais perfume — prosseguiu a empregada apoiando-se nos cotovelos.

Duas crianças atravessaram a rua aos gritos. A borboleta recolheu precipitadamente a tromba e fugiu num voo atarantado. Uma pétala desprendeu-se da corola e foi pousar na relva. Outra pétala desprendeu-se em seguida e desenhando um giro breve, caiu num tufo de violetas. Maria Camila estendeu as mãos até a corola da flor. Não chegou a tocá-la. Recolheu as mãos e ficou olhando para as veias intumescidas com a mesma expressão com que olhara para a rosa.

— Ela é conhecida do doutor?

— Quem, Matilde?

— Essa moça que vem tomar chá...

— Trabalham juntos — disse Maria Camila passando nervosamente a ponta do dedo sobre a rede de veias. — Ela está fazendo um estágio no laboratório.

— Estágio?

— Sim, estágio.

A mulher ficou pensativa. Pôs-se a coçar o braço.

— E a senhora conhece ela?

— Já vi de longe.

— É bonita?

— Não sei, Matilde, não sei.

— Estágio — repetiu a empregada. — Então é essa que às vezes telefona pra ele.

Alguém iniciou na vizinhança um exercício de piano. O exercício era elementar e tocado sem vontade.

— Deve ser — sussurrou Maria Camila apanhando a pétala que caíra na relva. Levou-a aos lábios que estavam lívidos. — Deve ser.

— Hoje cedo ela telefonou, não perguntei quem era porque o doutor não quer mais que a gente pergunte. Mas reconheci a voz, só podia ser ela.

— São muito amigos. Os velhos, os mais velhos gostam da companhia dos jovens — acrescentou a mulher dilacerando a pétala entre os dedos. Fez um gesto brusco. — Esse menino era melhor no violino, não era?

A empregada fungou, impaciente.

— Nem no violino! A gente ficava com dor de cabeça quando ele começava com aquela atormentação. Diz que a mãe cismou que ele tem que tocar alguma coisa...

— Quem foi que disse?

— A Anita, que trabalha lá. Diz que a mãe fica o dia inteiro atrás dele, dando castigo se ele não estuda. São estrangeiros.

Maria Camila olhou furtivamente o relógio. Abriu e fechou as mãos num movimento exasperado. Manteve-as fechadas.

— Ele tocava melhor violino.

A mulher fez uma careta. E ficou seguindo com o olhar gelado uma adolescente que passava na calçada. Franziu a cara como se enfrentasse o sol.

— Como é que ela se chama? Essa do chá...

O menino interrompeu o exercício. O zunido da abelha

voltou mais nítido, fechando o círculo em redor de um único ponto. Maria Camila respirou com esforço.

— Acho que estou gripada.

— Gripada? — E a mulher apoiou o queixo nas mãos. — A senhora está com os olhos inchados. Quer que eu vá buscar uma aspirina?

— Não, não é preciso — disse Maria Camila movendo a cabeça num ritmo fatigado. Encarou a empregada: — Não vai mesmo pregar esse botão? Não vai?

— Mas se não sei dele...

— Pegue um na minha caixa, já disse.

A mulher empertigou-se com solenidade. Passou ainda a ponta do avental na janela, a fisionomia concentrada. Chegou a abrir a boca. E enveredou para o interior da casa.

Maria Camila relaxou a posição tensa. Olhou o relógio, sacudiu a cabeça e fechou com força os olhos cheios de lágrimas. "Que é que eu faço agora?", murmurou inclinando-se para a rosa. "Eu gostaria que você me dissesse o que é que eu devo fazer!..." Apoiou a nuca no espaldar da cadeira. "Augusto, Augusto, me diga depressa o que é que eu faço! Me diga!..."

A janela abriu-se. A empregada estendeu o braço num gesto digno. A voz saiu sombria.

— Não achei botão igual. Posso pregar este amarelo?

Maria Camila tirou do bolso do casaco o estojo de pó. Examinou-se ao espelho. Consertou as sobrancelhas. Umedeceu com a ponta da língua os lábios ressequidos e fechou o estojo. Ficou com ele apertado entre as mãos. Voltou-se para a janela.

— Pregue esse mesmo.

A mulher vacilava, rodando o botão entre os dedos.

— É o mais parecido que achei.

— Está bem, está bem — repetiu a outra reabrindo o estojo. Passou a esponja em torno dos olhos. Examinou as mãos. — Veja, Matilde, minhas mãos estão ficando da cor da tarde, tudo nesta hora vai ficando rosado...

— O céu parece brasa, que bonito!

— A gente vai ficando rosada também — disse atirando a cabeça para trás. Expôs a face à luz incendiada do crepúsculo. E riu de repente: — Acho a vida tão maravilhosa!

— Maravilhosa?

O menino parou de tocar. Maria Camila ficou alerta, os olhos brilhantes, as narinas acesas. Olhou para o relógio. Falou com energia.

— Assim que a moça chegar, sirva o chá aqui mesmo, faça um chá bem forte. E traga três xícaras.

— Mas se é só a senhora e ela...

— O doutor pode aparecer de surpresa, é quase certo que ele apareça — acrescentou a mulher limpando do vestido os pedaços da pétala dilacerada que ficara por entre as pregas da saia. Levantou-se. Respirava ofegante. — Quero os guardanapos novos, não vá esquecer, hein? Os novos.

Passos ressoaram na calçada. Quando ficaram mais próximos, a empregada pôs-se na ponta dos pés, tentando ver além do muro da casa vizinha:

— Deve ser ela... É ela! — sussurrou excitadamente. — É ela!

Maria Camila levantou a cabeça. E caminhou decidida em direção ao portão.

O Jardim Selvagem

— Daniela é assim como um jardim selvagem — disse o tio Ed olhando para o teto. — Como um jardim selvagem...

Tia Pombinha concordou fazendo uma cara muito esperta. E foi correndo buscar o maldito licor de cacau feito em casa. Passei a mão na tampa da caixa de marrom-glacê que ele trouxera. Era a segunda ou terceira vez que a presenteava com uma caixa igual, eu já sabia que aquele nome era como o papel dourado embrulhando simples castanhas açucaradas. Mas, e um jardim selvagem? O que era um jardim selvagem?

Foi o que lhe perguntei. Ele me olhou com um ar de gigante da montanha falando com a formiguinha.

— Jardim selvagem é um jardim selvagem, menina.

— Ah, bom — eu disse.

E aproveitei a entrada de tia Pombinha para fugir da sala. A tal caixa estava mesmo fechada, tão cedo não seria aberta. E o licor de cacau era tão ruim que eu já tinha visto uma visita guardá-lo na boca para depois cuspir. Na bacia, fingindo lavar as mãos.

Mais tarde, quando eu já enfiava a camisola para dormir, tia Pombinha entrou no meu quarto. Sentou-se na cama. A caixa de doces já devia estar enfurnada em alguma gaveta. Sovina, sovina.

— O Ed casado, imagine! Até parece mentira, o meu querido Ed casado há mais de uma semana. Mas por que não me avisou, Cristo-Rei! Como é que ele se casa assim, sem participar... Que loucura!

— Decerto não quis dar festa.

— Mas não seria preciso festa, eu só gostaria de saber — choramingou, fazendo bico. — Ainda na noite passada ele me apareceu no sonho...

— Apareceu? — perguntei metendo-me na cama.

Os sonhos de tia Pombinha eram todos horríveis, estava para chegar o dia em que viria anunciar que sonhara com alguma coisa que prestasse.

— Não me lembro bem como foi, ele logo sumiu no meio de outras pessoas. Mas o que me deixou nervosa foi ter sonhado com dentes nessa mesma noite. Você sabe, não é nada bom sonhar com dentes.

— Tratar deles é pior ainda.

Sorriu sem vontade. Ficou toda sentimental quando resolveu me cobrir até o pescoço.

— Você agora me lembrou o Ed menino. Fui a mãezinha dele quando a nossa mãe morreu. E agora se casa assim de repente, sem convidar a família, como se tivesse vergonha da gente... Mas não é mesmo esquisito? E essa moça, Cristo-Rei? Ninguém sabe quem ela é...

— Tio Ed deve saber, ora.

Acho que ela se impressionou com minha resposta porque sossegou um pouco. Mas logo desatou a falar de novo com aquela fala aflita de quem vai pegar o trem, falava assim quando chegava a hora de viajar.

— Ele parece feliz, sem dúvida, mas ao mesmo tempo me olhou de um jeito... Era como se quisesse me dizer qualquer coisa e não tivesse coragem, senti isso com tanta força que meu coração até doeu, quis perguntar, O que foi, Ed! Pode me dizer o que foi? Mas ele só me olhava e não disse nada. Tive a impressão de que estava com medo.

— Com medo do quê?

— Não sei, não sei, mas foi como se eu estivesse vendo Ed menino outra vez. Tinha pavor do escuro, só queria dormir de luz acesa. Papai proibiu essa história de luz e não me deixou mais ir lá fazer companhia, achava que eu poderia estragá-lo com muito mimo. Mas uma noite não resisti e entrei escondida no quarto. Estava acordado, sentado na cama. Quer que eu fique aqui até você dormir?, perguntei. Pode ir embora, ele disse, já não me importo mais de ficar no escuro. Então dei-lhe um beijo, como fiz hoje. Ele me abraçou e me olhou do mesmo jeito que me olhou agora, querendo confessar que estava com medo. Mas sem coragem de confessar.

Disfarcei um bocejo. E afastei as cobertas porque já estava transpirando. Quando minha tia anunciava uma história importante, na certa vinha alguma bobagem sem importância nenhuma. De resto, tia Pombinha tinha a mania de ver mistério em tudo, até no nosso limoeiro que dava às vezes uns limões adocicados. Não passava um dia sem falar nos tais *pressentimentos*.

— Mas por que ele tinha de ter medo?

Ela franziu a testa. Seus olhinhos redondos ficaram mais redondos ainda.

— Aí é que está... Quem é que pode saber? Ed sempre foi muito discreto, não é de se abrir com a gente, ele esconde. Que moça será essa?!

Lembrei-me então do que ele dissera, Daniela é como um jardim selvagem. Quis perguntar o que era um jardim selvagem. Mas tia Pombinha devia entender tanto quanto eu desses jardins.

— Ela é bonita, tia?

— Ed disse que é lindíssima. Mas não é tão jovem assim, parece que tem a idade dele, quase quarenta anos...

— E não é bom? Isso de ser meio velha.

Balançou a cabeça com ar de quem podia dizer ainda um montão de coisas sobre essa questão de idade. Mas preferia não dizer.

— Hoje de manhã, quando você estava na escola, a cozinheira deles passou por aqui, é amiga da Conceição. Contou que ela se veste nos melhores costureiros, só usa perfume francês, toca piano... Quando estiveram na chácara, nesse último fim de semana, ela tomou banho nua debaixo da cascata.

— Nua?

— Nuinha. Vão morar na chácara, ele mandou reformar tudo, diz que a casa ficou uma casa de cinema. E é isso que me preocupa, Ducha. Que fortuna não estarão gastando nessas loucuras? Cristo-Rei, que fortuna! Onde é que ele foi encontrar essa moça?

— Mas ele não é rico?

— Aí é que está... Ed não é tão rico quanto se pensa.

Dei de ombros. Nunca tinha pensado antes no assunto. Bocejei sem cerimônia. Tia Pombinha estava era com ciúme, havia muito dessas confusões nas famílias, eu mesma já tinha lido um caso parecido numa revista. Sabia até o nome do complexo, era um complexo de irmão com irmã. Afundei a cabeça no travesseiro. Se queria tanto conversar, por que não se lembrou de trazer os doces? Para comer tudo escondido, não é?

— Deixa, tia. Você não tem nada com isso.

Ela abriu nos joelhos as mãos ossudas, de unhas onduladas, cortadas rente. Passei a língua na palma das minhas mãos para umedecê-las. Sempre que olhava para as mãos dela, assim secas como se tivessem lidado com giz, precisava molhar as minhas.

— Diz que anda sempre com uma luva na mão direita, não tira nunca a luva dessa mão, nem dentro de casa.

Sentei-me na cama. Esse pedaço me interessava.

— Usa uma luva?

— Na mão direita. Diz que tem dúzias de luvas, cada qual de uma cor, combinando com o vestido.

— E não tira nem dentro de casa?

— Já amanhece com ela. Diz que teve um acidente com essa mão, deve ter ficado algum defeito...

— Mas por que não quer que vejam?

— Eu é que sei? Como Ed nem tocou nisso, fiquei sem jeito de perguntar, essas coisas não se perguntam. Casado, imagine... Deve dar um marido exemplar, desde criança foi muito bonzinho, você precisava ver que pérola de menino! Uma verdadeira pérola...

Tia Pombinha ficou falando algum tempo ainda sobre a bondade do irmão, mas eu só pensava naquela nova tia que tomava banho pelada debaixo da cascata. E que não tirava a luva da mão direita.

Na manhã de sábado, quando cheguei para o almoço, soube que ela passara em casa. Chutei minha pasta. As coisas que valiam a pena aconteciam sempre quando eu estava na escola. Tia Pombinha gaguejava, o pescoço fino cheio de manchas avermelhadas. Ficava assim que nem peru quando tinha uma emoção forte.

— Ah, você não imagina como é encantadora! Nunca vi uma beleza igual, que encanto de moça! Tão natural, tão simples e ao mesmo tempo tão elegante, tão bem cuidada... Foi tão carinhosa comigo!

Fiquei olhando para as pernas finas de tia Pombinha com as meias murchas cor de cenoura. Bom, então tudo tinha mudado.

— Quer dizer que a senhora gostou dela?

— Muito, fiquei mesmo cativada! E trouxe presentes, venha ver — disse puxando-me pelo braço. — Três cortes de seda finíssima para mim e para você uma boneca francesa... Loura, loura!

— Tenho ódio de boneca.

— Ducha! Você vai gostar dessa, é a coisa mais linda que já se viu, olha aí, não é linda?

Fiquei olhando a boneca dentro da caixa. Usava luvinhas de renda.

— Ela estava de luva?

— Estava. Uma luva verde, combinando com os sapatos. No começo a gente estranha a luva só naquela mão. Mas não é mesmo de se estranhar? Podia fazer uma plástica... Enfim, deve ter motivos. Um amor de moça!

A conversa no mês seguinte com a cozinheira de tio Ed me fez esquecer até os zeros sucessivos que tive em matemática. A cozinheira viera indagar se Conceição sabia de um bom emprego, desde a véspera estava desempregada. Tia Pombinha tinha ido ao mercado, pudemos falar à vontade enquanto Conceição fazia o almoço.

— Seu tio é muito bom, coitado. Gosto demais dele — começou ela enquanto beliscava um bolinho que Conceição tirara da frigideira. — Mas não combino com dona Daniela. Fazer aquilo com o pobre do cachorro, não me conformo!

— Que cachorro?

— O Kleber, lá da chácara. Um cachorro tão engraçadinho, coitado. Só porque ficou doente e ela achou que ele estava sofrendo... Tem cabimento fazer isso com um cachorro?

— Mas o que foi que ela fez?

— Deu um tiro nele.

— Um tiro?

— Bem na cabeça. Encostou o revólver na orelha e pum! matou assim como se fosse uma brincadeira... Não era para ninguém ver, nem o seu tio, que estava na cidade. Mas eu vi com estes olhos que a terra há de comer, ela pegou o revólver com aquela mão enluvada e atirou no pobrezinho, morreu ali mesmo, sem um gemido... Perguntei depois, Mas por que a senhora fez isso? O bicho é de Deus, não se faz com um bicho de Deus uma coisa dessas! Ela então respondeu que o Kleber estava sofrendo muito, que a morte para ele era um descanso.

— Disse isso?

A mulher deu uma dentada no bolinho. Ficou soprando um pouco porque estava quente como o diabo, eu mesma não conseguia dar cabo do meu.

— Disse que a vida tinha que ser... Ah! não lembro. Mas falou em música, que tudo tinha que ser como uma música, foi isso. A doença sem remédio era o desafino, o melhor era acabar com o instrumento pra não tocar mais desafinado. Até que foi muito educada comigo, viu que eu estava nervosa e quis me explicar tudo direitinho. Mas podia ficar me explicando até gastar todo o cuspe que eu nunca ia entender. O que entendi muito bem foi que o Kleber estava morto. O pobre.

— Mas ela gostava dele?

— Acho que sim, estavam sempre juntos. Quando ele ainda estava bom, ia tão alegrinho tomar banho com ela na cascata... Só faltava falar, aquele cachorro.

— Ela perguntou por que você ia embora?

— Não. Não perguntou nada. Nunca me tratou mal, justiça seja feita, sempre foi muito delicada com todos os empregados. Mas não sei, eu me aborreci por demais... isso de matar o Kleber! E montar em pelo como monta, feito índio, e tomar banho sem roupa... Uma noite a mesa do jantar virou inteira. O doutor disse que foi ele que esbarrou no pé da mesa, pra não cair, agarrou a toalha e veio tudo pro chão. Mas ninguém me tira da cabeça que quem virou a mesa foi ela.

— Por quê? Por que fez isso?

— Quando fica brava... A gente tem vontade até de entrar num buraco. O olho dela, o azul, muda de cor.

— Não tira a luva, nunca?

— Capaz!... Acho que nem o doutor viu aquela mão. Já amanhece de luvinha. Até na cascata usa uma luva de borracha.

Conceição veio interromper a conversa para mostrar à amiga uma bolsa que tinha comprado. Ficaram as duas cochichando sobre homens. Quando tia Pombinha chegou, a mulher já estava se despedindo, o que foi uma sorte.

Não falei com ninguém sobre essa história. Mas levei o maior susto do mundo quando dois meses depois tia Daniela telefonou da chácara para avisar que tio Ed estava muito doente. Tia Pombinha começou a tremer. O pescoço ficou uma mancha só.

— Deve ser a úlcera que voltou... Meu querido Ed! Cristo-Rei, será que é mesmo grave? Ducha, depressa, vai buscar o calmante, quinze gotas num copo de água açucarada... Cristo-Rei! A úlcera...

Contei cinquenta. E carreguei no açúcar para disfarçar o gosto. Antes de levar o copo, despejei ainda mais umas gotas.

Assim que acordou, à hora do jantar, desandou nos telefonemas avisando à velharia da irmandade que o "menino estava doente".

— E tia Daniela? — perguntei quando ela parou de choramingar.

— Tem sido dedicadíssima, não sai de perto dele um só minuto. Falei também com o médico, disse que nunca encontrou criatura tão eficiente, tem sido uma enfermeira e tanto. É o que me deixa mais descansada. Meu querido menino...

Quando Conceição veio me anunciar que ele tinha se matado com um tiro, assustei-me à beça. Mas aquele primeiro susto que levara quando me disseram que ele estava doente fora um susto maior ainda. Eu chegava da escola quando Conceição veio correndo ao meu encontro.

— Seu tio Ed se matou hoje de manhã! Se matou com um tiro!

Larguei a pasta.

— Um tiro no ouvido?

— Lá sei se foi no ouvido, não me contaram mais nada, dona Pombinha parecia louca, mal podia falar. Já seguiu com as irmãs para a chácara, foi um tamanho berreiro! Todas berravam ao mesmo tempo, um horror!

Dessa vez achei muito bom que eu estivesse na escola

quando chegou a notícia. Conceição enxugou duas lágrimas na barra do avental enquanto fritava batatas. Peguei uma batata que caíra da frigideira e afundei-a no sal. Estava quase crua.

— Mas por que ele fez isso, Conceição?

— Ninguém sabe. Não deixou carta, nada, ninguém sabe! Vai ver que foi por causa da doença, não é mesmo? Você também não acha que foi por causa da doença?

— Acho — concordei, enquanto esperava que caísse outra batata da frigideira.

Pensava agora em tia Daniela metida num vestido preto. E de luva também preta, como não podia deixar de ser.

Natal na Barca

Não quero nem devo lembrar aqui por que me encontrava naquela barca. Só sei que em redor tudo era silêncio e treva. E me sentia bem naquela solidão. Na embarcação desconfortável, tosca, apenas quatro passageiros. Uma lanterna nos iluminava com sua luz vacilante: um velho, uma mulher com uma criança e eu.

O velho, um bêbado esfarrapado, deitara-se de comprido no banco, dirigira palavras amenas a um vizinho invisível e agora dormia. A mulher estava sentada entre nós, apertando nos braços a criança enrolada em panos. Era uma mulher jovem e pálida. O longo manto escuro que lhe cobria a cabeça dava-lhe o aspecto de uma figura antiga.

Pensei em falar-lhe assim que entrei na barca. Mas já devíamos estar quase no fim da viagem e até aquele instante não me ocorrera dizer-lhe qualquer palavra. Nem combinava mesmo com a barca tão despojada, tão sem artifícios, a ociosidade de um diálogo. Estávamos sós. E o melhor ainda era não fazer nada, não dizer nada, apenas olhar o sulco negro que a embarcação ia fazendo no rio.

Debrucei-me na grade de madeira carcomida. Acendi um cigarro. Ali estávamos os quatro, silenciosos como mortos num antigo barco de mortos deslizando na escuridão. Contudo, estávamos vivos. E era Natal.

A caixa de fósforos escapou-me das mãos e quase resvalou para o rio. Agachei-me para apanhá-la. Sentindo então alguns respingos no rosto, inclinei-me mais até mergulhar as pontas dos dedos na água.

— Tão gelada — estranhei, enxugando a mão.

— Mas de manhã é quente.

Voltei-me para a mulher que embalava a criança e me observava com um meio sorriso. Sentei-me no banco ao seu lado. Tinha belos olhos claros, extraordinariamente brilhantes. Vi que suas roupas puídas tinham muito caráter, revestidas de uma certa dignidade.

— De manhã esse rio é quente — insistiu ela me encarando.

— Quente?

— Quente e verde, tão verde que a primeira vez que lavei nele uma peça de roupa, pensei que a roupa fosse sair esverdeada. É a primeira vez que vem por estas bandas?

Desviei o olhar para o chão de largas tábuas gastas. E respondi com uma outra pergunta:

— Mas a senhora mora aqui por perto?

— Em Lucena. Já tomei esta barca não sei quantas vezes, mas não esperava que justamente hoje...

A criança agitou-se, choramingando. A mulher apertou-a mais contra o peito. Cobriu-lhe a cabeça com o xale e pôs-se a niná-la com um brando movimento de cadeira de balanço. Suas mãos destacavam-se exaltadas sobre o xale preto, mas o rosto era tranquilo.

— Seu filho?

— É. Está doente, vou ao especialista, o farmacêutico de Lucena achou que eu devia consultar um médico hoje mesmo. Ainda ontem ele estava bem, mas de repente piorou. Uma febre, só febre... — Levantou a cabeça com energia.

O queixo agudo era altivo, mas o olhar tinha a expressão doce. — Só sei que Deus não vai me abandonar.

— É o caçula?

— É o único. O meu primeiro morreu o ano passado. Subiu no muro, estava brincando de mágico quando de repente avisou, vou voar! A queda não foi grande, o muro não era alto, mas caiu de tal jeito... Tinha pouco mais de quatro anos.

Atirei o cigarro na direção do rio, mas o toco bateu na grade e voltou rolando aceso pelo chão. Alcancei-o com a ponta do sapato e fiquei a esfregá-lo devagar. Era preciso desviar o assunto para aquele filho que estava ali, doente, embora. Mas vivo.

— E esse? Que idade tem?

— Vai completar um ano. — E noutro tom, inclinando a cabeça para o ombro: — Era um menino tão bonzinho, tão alegre. Tinha verdadeira mania com mágicas. Claro que não saía nada, mas era muito engraçado... Só a última mágica que fez foi perfeita, vou voar! disse abrindo os braços. E voou.

Levantei-me. Eu queria ficar só naquela noite, sem lembranças, sem piedade. Mas os laços — os tais laços humanos — já ameaçavam me envolver. Conseguira evitá-los até aquele instante. Mas agora não tinha forças para rompê-los.

Seu marido está à sua espera?

Meu marido me abandonou.

Sentei-me novamente e tive vontade de rir. Era incrível. Fora uma loucura fazer a primeira pergunta, mas agora não podia mais parar.

— Há muito tempo?

— Faz uns seis meses. Imagine que nós vivíamos tão bem, mas tão bem! Quando ele encontrou por acaso com essa antiga namorada, falou comigo sobre ela, fez até uma brincadeira, a Duca enfeiou, de nós dois fui eu que acabei ficando mais bonito... E não falou mais no assunto. Uma manhã ele se levantou como todas as manhãs, tomou café, leu o jornal, brincou com o menino e foi trabalhar. Antes de sair ainda me acenou, eu estava na cozinha lavando a louça e ele me acenou através da tela de arame da porta, me lembro até que eu quis abrir a porta, não gosto de ver ninguém falar comigo com aquela tela de arame no meio... Mas eu estava com a mão molhada. Recebi a carta de tardinha, ele mandou uma carta. Fui morar com minha mãe numa casa que alugamos perto da minha escolinha. Sou professora.

Fixei-me nas nuvens tumultuadas que corriam na mesma direção do rio. Incrível. Ia contando as sucessivas desgraças com tamanha calma, num tom de quem relata fatos sem ter participado deles realmente. Como se não bastasse a pobreza que espiava pelos remendos da sua roupa, perdera o filhinho, o marido e ainda via pairar uma sombra sobre o segundo filho que ninava nos braços. E ali estava sem a menor revolta, confiante. Intocável. Apatia? Não, não podiam ser de uma apática aqueles olhos vivíssimos e aquelas mãos enérgicas. Inconsciência? Uma obscura irritação me fez sorrir.

— A senhora é conformada.

— Tenho fé, dona. Deus nunca me abandonou.

— Deus — repeti vagamente.

— A senhora não acredita em Deus?

— Acredito — murmurei.

E ao ouvir o som débil da minha afirmativa, sem saber por quê, perturbei-me. Agora entendia. Aí estava o segredo daquela confiança, daquela calma. Era a tal fé que removia montanhas...

Ela mudou a posição da criança, passando-a do ombro direito para o esquerdo. E começou com voz quente de paixão:

— Foi logo depois da morte do meu menino. Acordei uma noite tão desesperada que saí pela rua afora, enfiei um casaco e saí descalça e chorando feito louca, chamando por ele... Sentei num banco do jardim onde toda tarde ele ia brincar. E fiquei pedindo, pedindo com tamanha força, que ele, que gostava tanto de mágica, fizesse essa mágica de me aparecer só mais uma vez, não precisava ficar, só se mostrasse um instante, ao menos mais uma vez, só mais uma! Quando fiquei sem lágrimas, encostei a cabeça no banco e, não sei como, dormi. Então sonhei e no sonho Deus me apareceu, quer dizer, senti que ele pegava na minha mão com sua mão de luz. E vi o meu menino brincando com o Menino Jesus no jardim do Paraíso. Assim que ele me viu, parou de brincar e veio rindo ao meu encontro e me beijou tanto, tanto... Era tal sua alegria que acordei rindo também, com o sol batendo em mim.

Fiquei sem saber o que dizer. Esbocei um gesto e em seguida, apenas para fazer alguma coisa, levantei a ponta do xale que cobria a cabeça da criança. Deixei cair o xale novamente e voltei o olhar para o chão. O menino estava morto. Entrelacei as mãos para dominar o tremor que me sacudiu. Estava morto. A mãe continuava a niná-lo, apertando-o contra o peito. Mas ele estava morto.

Debrucei-me na grade da barca e respirei penosamente: era como se estivesse mergulhada até o pescoço naquela água. Senti que a mulher se agitou atrás de mim.

— Estamos chegando — anunciou.

Apanhei depressa minha pasta. O importante agora era sair, fugir antes que ela descobrisse, era terrível demais, não queria ver. Diminuindo a marcha, a barca fazia uma larga curva antes de atracar. O bilheteiro apareceu e pôs-se a sacudir o velho que dormia.

— Chegamos! Ei! chegamos!...

Aproximei-me evitando encará-la.

— Acho melhor nos despedirmos aqui — disse atropeladamente, estendendo a mão.

Ela pareceu não notar meu gesto. Levantou-se e fez um movimento como se fosse pegar a sacola. Ajudei-a, mas em vez de apanhar a sacola que lhe estendi, antes mesmo que eu pudesse impedi-lo, afastou o xale que cobria a cabeça do filho.

— Acordou, o dorminhoco! E olha aí, deve estar agora sem nenhuma febre.

— Acordou?!

Ela teve um sorriso.

— Veja...

Inclinei-me. A criança abrira os olhos — aqueles olhos que eu vira cerrados tão definitivamente. E bocejava, esfregando a mãozinha na face de novo corada. Fiquei olhando sem conseguir falar.

— Então, bom Natal! — disse ela, enfiando a sacola no braço.

Encarei-a. Sob o manto preto, de pontas cruzadas e atiradas para trás, seu rosto resplandecia. Apertei-lhe a mão vigorosa. E acompanhei-a com o olhar até que ela desapareceu na noite.

Conduzido pelo bilheteiro, o velho passou por mim reiniciando seu afetuoso diálogo com o vizinho invisível. Saí por último da barca. Duas vezes voltei-me ainda para ver o rio. E pude imaginá-lo como seria de manhã cedo: verde e quente. Verde e quente.

A Ceia

O restaurante era modesto e pouco frequentado, com mesinhas ao ar livre, espalhadas debaixo das árvores. Em cada mesinha, um abajur feito de garrafa projetando sobre a toalha de xadrez vermelho e branco um pálido círculo de luz.

A mulher parou no meio do jardim.

— Que noite!

Ele lhe bateu brandamente no braço.

— Vamos, Alice. Que mesa você prefere?

Ela arqueou as sobrancelhas.

— Com pressa?

— Ora, que ideia...

Sentaram-se numa mesa próxima ao muro e que parecia a menos favorecida pela iluminação. Ela tirou o estojo da bolsa e retocou rapidamente os lábios. Em seguida, com gesto tranquilo mas firme, estendeu a mão até o abajur e apagou-o.

— As estrelas ficam maiores no escuro.

Ele ergueu o olhar para a copa da árvore que abria sobre a mesa um teto de folhagem.

— Daqui não vejo nenhuma estrela.

— Mas ficam maiores.

Abrindo o cardápio, ele lançou um olhar ansioso para os lados. Fechou-o com um suspiro.

— Também não enxergo os nomes dos pratos. Paciência, acho que quero um bife. Você me acompanha?

Ela apoiou os cotovelos na mesa e ficou olhando para o homem. Seu rosto fanado e branco era uma máscara delicada emergindo da gola negra do casaco. O homem se agitou na cadeira. Tentou se fazer ver por um garçom que passou a uma certa distância. Desistiu. Num gesto fatigado, esfregou os olhos com as pontas dos dedos.

— Meu bem, você ainda não mandou fazer esses óculos! Faz meses que quebrou o outro e até agora...

— A verdade é que não me fazem muita falta.

— Mas a vida inteira você usou óculos.

Ele encolheu os ombros.

— Pois é, acho que agora não preciso mais.

— Nem de mim.

— Ora, Alice...

Ela tomou-lhe a mão.

— Eduardo, eu precisava te ver, precisava demais, entende? A última vez foi tão horrível, me arrependi tanto! Queria fazer hoje uma despedida mais digna, queria que você...

— Não pense mais nisso, Alice, que bobagem, você estava nervosa — interrompeu-a voltando-se para chamar o garçom.

Estendeu a mão. O gesto foi discreto, mas no rápido abrir e fechar dos dedos havia um certo desespero.

— Acho que jamais seremos atendidos.

— Você está com pressa.

— Não, absolutamente. Absolutamente.

Uma folha seca pousou suave na mesa. Ele esmigalhou-a entre os dedos, com uma lentidão premeditada.

— Você gosta do meu perfume, Eduardo? É novo.

— Já tinha notado... Bom, não? Lembra um pouco tangerina.

Inclinando-se para trás, ela riu sem vontade, "Que ideia!...". E ficou séria, a boca entreaberta, os olhos apertados.

— Eu precisava te ver, Eduardo.

Ele ofereceu-lhe cigarro. Apalpou os bolsos.

— Acho que esqueci o fósforo. Trouxe também o isqueiro, mas sumiu tudo... — Revistou a capa em cima da cadeira. — Ah, está aqui! — exclamou subitamente animado, como se o encontro do isqueiro fosse uma solução não só para o cigarro, mas também para a mulher na expectativa. — Imagine que ganhei este isqueiro numa aposta, foi de um marinheiro...

— Eduardo, você vai me ver de vez em quando, não vai? Responda, Eduardo, ao menos de vez em quando! Hein, Eduardo?

— Estávamos num bar, eu e o Frederico — recomeçou ele brandamente. Mas era violenta a fricção do seu polegar contra a rosca do isqueiro, na tentativa veemente de acendê-lo. — Então um desconhecido sentou-se na nossa mesa e até hoje não sei como veio aquela ideia da aposta.

A chama rompeu azulada e alta. A mulher recuou batendo as pálpebras. E se manteve afastada, o cigarro preso entre os lábios repentinamente ressequidos, como se a chama lhes tivesse absorvido toda a umidade.

— Como é forte!... — queixou-se recuando mais à medida que ele avançava o isqueiro. Apagou a chama com um sopro e tragou, soprando a fumaça para o chão. Tremia a mão que segurava o cigarro. — Detesto isqueiros, você sabe disso.

— Mas este tem uma chama tão bonita. Pude ver que seu penteado também é novo.

— Cortei o cabelo. Remoça, não?

— Não sei se remoça, Alice, só sei que te vai bem.

Ela umedeceu os lábios. Seus olhos se agrandaram novamente.

— Mas, querido, não é preciso ficar com essa cara, prometo que desta vez não vou quebrar nenhum copo, não precisa ficar aflito... — Os olhos reduziram-se outra vez a dois riscos pretos. — Foi horrível, não, Eduardo? Foi horrível, hein? Sabendo quanto você detesta essas cenas, imagine, quebrar o copo na mão, aquela coisa assim dramática do vinho ir escorrendo misturado com o sangue... Que papel miserável.

— Não, não, que ideia! — Apoiou os braços na mesa e escondeu o rosto com as mãos. — Você tinha bebido demais, Alice.

— Ela soube?

— Quem? — E o homem encarou a companheira. — Ah... Não, imagine se eu havia de...

— Você contou, Eduardo, você contou. Está claro que você contou até com detalhes. E a raposinha foi fazendo mais perguntas ainda...

— Por que você a chama de raposinha?

— Porque ela tem cara de raposinha, não tem? Tão graciosa. E já sabe tudo a meu respeito, não? Até a minha idade.

— Por favor, Alice, não continue, você só está dizendo absurdos! Pensa então que ficamos os dois falando de você, ela pedindo dados e eu fornecendo, como se... Que juízo você faz de mim, Alice? Eu te amei.

Aproximou-se um garçom. Colocou na mesa a cesta de pão, dois copos, e ficou limpando com o guardanapo uma garrafa de vinho que trouxe debaixo do braço.

— Acho que a cozinha já está fechada, cavalheiro. Queriam jantar?

— Muito tarde mesmo — disse o homem olhando o relógio. Tirou uma nota do bolso, passou-a para o garçom. — Ao menos dois bifes, seria possível?

— E vinho — pediu ela, procurando ler o rótulo da garrafa que o moço limpava. — Esse aí é bom?

O companheiro encarou-a. Franziu as sobrancelhas.

— Quer beber?

— Não posso?

Examinou a garrafa, com ar distraído.

— Claro que pode. É, esse está bom.

— Eu falo lá na cozinha, acho que não tem problema — disse o garçom abrindo a garrafa. Serviu-os com gestos melífluos e em seguida afastou-se, a enrolar na mão o guardanapo.

Ela empertigou-se na cadeira. Pôs-se a beber em pequeninos goles. E de repente abriu o sorriso numa risadinha.

— Mas não! não fique com essa cara apavorada. Juro que hoje não vou me embriagar, hoje não. Queria que ficasse tranquilo...

— Mas eu estou tranquilo.

De uma mesa distante, a única ocupada ainda, vinha o ruído de vozes de homens. Uma gargalhada rebentou sonora em meio do vozerio exaltado. E a palavra *cabrito* saltou dentre as outras que se arrastavam pastosas. Num rádio da vizinhança ligado ao volume máximo havia uma canção que contava a história de uma violeteira vendendo violetas na porta de um teatro. A voz da cantora era um pouco fanhosa.

— Santo Deus, como essa música é velha — disse ele. A fisionomia se descontraiu. — Acho que era menino quando ouvi isso pela primeira vez.

Inclinando-se para o companheiro, ela beijou-lhe a palma da mão. Apertou-a com força contra a própria face.

— Meu amor, meu amor, você agora sorriu e tudo ficou como antes. Como é possível, Eduardo?! Como é possível... — Sacudiu a cabeça. — Eduardo, ouça, estou de acordo, é claro, mas se ao menos você prometesse que vai me ver de vez em quando, ao menos de vez em quando, compreende? Como um amigo, um simples amigo, eu não peço mais nada!

Ele tirou a mão que ela apertava e alisou os cabelos num gesto contido. Enfiou as mãos nos bolsos.

— Alice, querida Alice, procure entender... Você sabe perfeitamente que não posso ir te visitar, que é ridículo ficarmos os dois falando sobre livros, jogando uma partida de xadrez, você sabe que isso não funcionaria, pelo menos por enquanto. Você seria a primeira a não se conformar, uma situação falsa, insustentável. Temos que nos separar assim mesmo, sem maiores explicações, não adiantam mais explicações, não adiantam mais estes encontros que só te fazem sofrer... — Apertou os lábios secos. Bebeu um gole de vinho. — O que importa é não haver nem ódios nem ressentimentos, é podermos nos olhar frente a frente, o que passou, passou. Disco na prateleira...

— Disco na prateleira. Essa expressão é boa, ainda não conhecia.

— Alice, não comece com as ironias, por favor! Ainda ontem a Lili...

— Lili?

Ele baixou a cabeça. E fixou o olhar na toalha da mesa, como se quisesse decorar-lhe o contorno dos quadrados. Arrastou a cesta de pão para cobrir uma antiga mancha de vinho.

— É o apelido de Olívia. Eu queria dizer que ainda ontem ela perguntou por você com tamanha simpatia.

— Ah! que generoso, que nobre! Tão fino da parte dela, não me esquecerei disso, *perguntou por mim.* Quando nos encontrarmos, atravesso a quadra, como nas partidas de tênis e vou cumprimentá-la, tudo assim muito limpo, muito esportivo. Esportivo.

— Não se torture mais, Alice, ouça! — começou ele com energia. Vagou o olhar aflito pela mesa, como se nela buscasse as palavras. — Você devia mesmo saber que mais dia, menos dia, tínhamos que nos separar, nossa situação era falsa.

Ela entreabriu os lábios num duro arremedo de sorriso.

— Bonitas palavras essas, situação falsa. Por que situação falsa? Por quê? Durante mais de quinze anos não foi falsa. Por que ficou falsa de repente?

Ele fechou as mãos e bateu com os punhos na mesa,

golpeando-a compassadamente. Afastou a cesta de pão e ficou olhando a mancha na toalha.

— Só sei que não tenho culpa, Alice. Já disse mil vezes que não pretendia romper, mas aconteceu, aconteceu. Não tenho culpa.

Ela despejou mais vinho no copo. Bebeu de olhos fechados. E ficou com a borda do copo comprimindo o lábio.

— Mas ao menos, Eduardo... ao menos você podia ter esperado um pouco para me substituir, não podia? Não vê que foi depressa demais? Será que você não vê que foi depressa demais? Não vê que ainda não estou preparada? Hein, Eduardo?... Aceito tudo, já disse, mas venha ao menos de vez em quando para me dizer um bom-dia, não peço mais nada... É preciso que vá me acostumando com a ideia de te perder, entendeu agora? Venha me ver mesmo que seja para falar nela, ficaremos falando nela, é preciso que me acostume com a ideia, não pode ser assim tão brusco, não pode!

— Não está sendo brusco, Alice. Temos conversado mais de uma vez, já disse que não precisamos nos despedir como inimigos.

Ela entrelaçou as mãos sob o queixo. Sacudiu a cabeça.

— Mas não se trata disso, Eduardo. Será que você não entende mais o que eu digo? Eduardo, Eduardo, eu queria que você entendesse... — Lágrimas pesadas caíram-lhe dos olhos quase sem tocar-lhe as faces. — Eduardo, você precisa ter paciência, não é justo, não é justo!

— Fale mais baixo, Alice, você está quase gritando — disse ele. Tirou do maço um cigarro, mas ficou com o cigarro esquecido entre os dedos. Abrandou a voz. — Eu entendo, sim, mas não se exalte, estamos conversando, não estamos? Vamos, tome um gole de vinho. Isso, assim...

Ela apanhou o guardanapo e enxugou trêmula o rosto. Abriu o estojo de pó e ainda com a ponta do guardanapo tentou limpar duas orlas escuras em torno dos olhos úmidos.

— Fui chorar e não podia chorar, borrei toda a pintura, estou uma palhaça.

— Não se preocupe, Alice. Fez bem de chorar, chore todas as vezes que tiver vontade.

Empoando-se frenética, escondeu o rosto detrás do estojo. Arregalou os olhos como que para obrigar que as últimas lágrimas — já boiando na fronteira dos cílios — voltassem novamente para dentro. Atirou a cabeça para trás.

— Pronto, pronto, passou! Estou ótima, olhe aí, veja se não estou ótima.

Ele lançou-lhe um rápido olhar. Apanhou o isqueiro para acender o cigarro e arrependeu-se em meio do gesto.

— Acenda seu cigarro, Eduardo.

— O isqueiro, você não gosta...

— Ora, não exagere, acenda o meu também.

Foi de olhos baixos que ele lhe acendeu o cigarro.

— Como esta toalha está suja.

— É que a luz desse isqueiro mostra tudo — disse ela num tom sombrio. — Mas vamos conversar sobre coisas alegres, estamos por demais sinistros, que é isso?! Vamos falar sobre seu casamento, por exemplo, esse é um assunto alegre. Quero saber os detalhes, querido, estou curiosíssima para saber os detalhes. Afinal, meu amado amigo de tantos anos se casa e estou por fora, não sei de nada.

— Não há nada que contar, Alice. Vai ser uma cerimônia muito simples.

— Lua de mel onde?

— Ainda não sei, isso a gente vai ver depois.

A mulher apertou os olhos. E pôs-se a amassar entre os dedos um pedaço de miolo de pão.

— Quem diria, hein? Nossa última ceia. Não falta nem o pão nem o vinho. Depois, você me beijará na face esquerda.

— Ah, Alice... — E ele riu frouxamente, sem alegria. — Não tome agora esse ar assim bíblico, ora, a última ceia. Não vamos começar com símbolos, quero dizer, não vamos ficar aqui numa cena patética de separação. Tudo foi perfeito enquanto durou. Agora, com naturalidade...

— Com naturalidade. Durou quinze anos, não foi, Eduardo?

Ele agitou-se olhando em redor. Esboçou um gesto na direção de um garçom que prosseguiu perambulando por entre árvores e mesas. Ergueu-se. O movimento brusco fez tombar a cadeira.

— Desconfio que esse banquete não virá tão cedo. Que tal se andássemos um pouco?

Deram alguns passos contornando as mesas vazias. No meio do jardim decadente, uma fonte extinta. O peixe de pedra tinha a boca aberta, mas há muito a água secara, deixando na boca escancarada o rastro negro da sua passagem. Por entre as pedras, tufos de samambaia enredados no mato rasteiro. Ele sentou-se na pedra maior. Desviou o olhar da mulher, que continuou de pé, as mãos metidas nos bolsos do casaco. Olhou para o céu.

— Agora, sim, pode-se ver as estrelas. Tão vivas, parecem palpitar.

Ela baixou a cabeça na direção do homem e cruzou os braços. Rodava ainda entre o polegar e o indicador a bolota de miolo de pão.

— Você agora repara nas estrelas.

Em meio da surpresa, ele riu.

— Você mesma me mandou olhar para elas... — Ficou sério. E aos poucos foi relaxando os músculos, fatigado e absorto.

Na distância, o rádio tocava uma música de jazz. A voz suada do negro chamava por Judy. E ficava repetindo, já rouca, *Judy, Judy*!

— Só elas não dizem nada. Nem elas nem o peixe — acrescentou ele, tragando e soprando a fumaça no peixe de pedra. — *Oh, boca da fonte, boca generosa, dizendo inesgotavelmente a mesma água pura...*

— Continue, Eduardo.

— Não sei mais, só sei esse pedaço.

— Há quanto tempo não te ouvia citar versos.

— Secou a fonte, secaram as flores, imagino como devia ter flores nesse jardim e como essa casa devia estar sempre cheia de gente, uma família imensa, crianças, velhos, cachorros. Desapareceram todos. Ficou a casa.

— Acabou-se, não, Eduardo? Acabou-se. Nem água, nem flores, nem gente. Acabou tudo.

Ele encarou a mulher que rodava a bolinha de miolo de pão num ritmo mais acelerado.

— Não acabou, Alice, transformou-se apenas, passou de um estado para outro, o que é menos trágico. As coisas não acabam.

— Não?

Com certa surpresa, como se a estranhasse, ele continuou olhando aquela silhueta curva, amassando a bolota que ia adquirindo uma consistência de borracha. Baixou o olhar para as pernas dela. Sua fisionomia se confrangeu. Aproximou-se, enlaçou-a num gesto triste.

— É difícil explicar, Alice, mas esses anos todos que vivemos juntos, toda essa experiência não vai desaparecer assim como se... Não saímos de mãos vazias, ao contrário, saímos ricos, mais ricos do que antes.

— Riquíssimos.

Num quase afago, ele deixou pender o braço que lhe contornava os ombros.

— Tem jogado?

— Não. O tabuleiro lá está com todas as peças como deixamos na última partida, lembra?

— Alice, Alice!... — cantarolou, abrindo os braços no mesmo tom do negro do jazz. O riso foi breve. — Você me deixou ganhar, meu bem, eu não podia ter ficado com a torre.

Ela atirou-se contra ele, abraçando-o, "Eduardo, eu te amo!". Beijou-lhe as mãos, a boca, afundou a cara por entre a camisa, procurando chegar-lhe ao peito, enfiou a mão pela abertura, esfregou a cara no corpo do homem, sentindo-lhe o cheiro, apalpando-o, a ponta da língua vibrando de encontro à pele.

— Eu te amo.

— Alice — murmurou ele. Estava impassível. Fechou os punhos. — Alice, não dê escândalo, não continue...

Ela rebentou em soluços, escondendo a cara.

— Você me amava, Eduardo, eu sei que você me amava!

Ele adiantou-se alguns passos, limpando a boca no lenço. Esperou um instante e voltou-se.

— Vem, Alice, por sorte ninguém viu, agora tenha juízo, por favor. Vamos sentar, fica calma, senta aí.

Ela afastou os cabelos empastados na testa. Esfregou o guardanapo nos olhos.

— Quer o lenço?

— Não, já está em ordem, não se preocupe, estou bem.

Ele fez girar o isqueiro sobre a mesa, como um pião. Lançou um olhar em redor.

— O homenzinho esqueceu mesmo de nós. O que é uma boa coisa, desconfio que os tais bifes...

— Ela fuma?

— O quê?

— Perguntei se ela fuma.

Ele arrefeceu o movimento do isqueiro.

— Fuma.

— E gosta desse seu isqueiro?

— Não sei, Alice, não tenho a menor ideia.

— Tão jovem, não, Eduardo?

— Alice, você prometeu.

— E naturalmente vai vestida de noiva, ah, sim, a virgenzinha. Já dormiu com todos os namorados, mas isso não choca mais ninguém, imagine. Tem o médico amigo que costura num instante, tem a pílula, morro de inveja dessa geração. Como as coisas ficaram fáceis!

— Cale-se, Alice.

— Como você já é uns bons anos mais velho, ela mandou costurar, questão de princípio. E vai chorar na hora, fingindo a dor que está sentindo mesmo porque às vezes a tal costura...

— Cale-se!

A noite agora estava quieta, sem música, sem vozes. Ele apanhou um cigarro. A chama do isqueiro subiu de um jato.

— Eduardo, apague isso... — pediu ela se contraindo, a cabeça afundada na gola do casaco. — Não vou fumar, apague.

Sem nenhuma pressa, ele aproximou a chama do próprio rosto. Soprou-a.

— Mas então o desconhecido sentou na nossa mesa — começou ele baixinho. — Disse que era marinheiro.

— Eduardo, eu queria que você fosse embora.

— Vou te levar, Alice. Vamos sair juntos, estou só esperando aquele alegre que se esqueceu dos bifes...

— Você não entendeu, eu queria ficar só, vou indo daqui a pouco mas queria que você saísse na frente, queria que você saísse já.

— Mas, Alice, como vou te deixar assim?

— Estou pedindo, Eduardo, me ajude, por favor, me ajude. Não, não se preocupe comigo, já estou calma, queria apenas ficar um instante sozinha, compreendeu? Eu preciso, Eduardo...

— Mas você vai conseguir táxi?

— Justamente queria andar um pouco, vai me fazer bem andar — sussurrou ela, entrelaçando as mãos. — Me ajude.

O homem ergueu-se. Apanhou a capa.

— Você não precisa mesmo de nada?

— Não, estou ótima, pode ir. Pode ir.

Ele se afastou a passos largos. Antes de enveredar pelo corredor, parou e apalpou os bolsos. Hesitou. Prosseguiu mais rápido, sem olhar para trás.

— A madama deseja ainda alguma coisa? Vamos fechar — avisou o garçom acendendo o abajur. — Fiquei lá dentro, teve um problema na cozinha.

Ela levantou a face de máscara pisada.

— Ah, sim, já vou. Quanto é?

— O cavalheiro já pagou o vinho. Disse que eu arrumasse um táxi para a senhora.

— Não é preciso, quero andar um pouco.

Então ele se inclinou:

— A madama está se sentindo mal?

Ela abriu os dedos. Rolou na mesa uma bolinha compacta e escura.

— Estou bem, é que tivemos uma discussão.

O garçom recolheu o pão e o vinho. Suspirou.

— Também discuto às vezes com a minha velha, mas depois fico chateado à beça. Mãe sempre tem razão — murmurou ajudando-a a levantar-se. — Não quer mesmo um táxi?

— Não, não... — Apertou de leve o ombro do moço. — O senhor é muito bom.

Quando ela já tinha dado alguns passos, ele a alcançou.

— A senhora esqueceu isto.

— Ah, o isqueiro — disse ela. Guardou-o na bolsa.

Venha Ver o Pôr do Sol

Ela subiu sem pressa a tortuosa ladeira. À medida que avançava, as casas iam rareando, modestas casas espalhadas sem simetria e ilhadas em terrenos baldios. No meio da rua sem calçamento, coberta aqui e ali por um mato rasteiro, algumas crianças brincavam de roda. A débil cantiga infantil era a única nota viva na quietude da tarde.

Ele a esperava encostado a uma árvore. Esguio e magro, metido num largo blusão azul-marinho, cabelos crescidos e desalinhados, tinha um jeito jovial de estudante.

— Minha querida Raquel.

Ela encarou-o, séria. E olhou para os próprios sapatos.

— Veja que lama. Só mesmo você inventaria um encontro num lugar destes. Que ideia, Ricardo, que ideia! Tive que descer do táxi lá longe, jamais ele chegaria aqui em cima.

Ele riu entre malicioso e ingênuo.

— Jamais? Pensei que viesse vestida esportivamente e agora me aparece nessa elegância. Quando você andava comigo, usava uns sapatões de sete léguas, lembra?

— Foi para me dizer isso que você me fez subir até

aqui? — perguntou ela, guardando as luvas na bolsa. Tirou um cigarro. — Hein?!

— Ah, Raquel... — ele tomou-a pelo braço. — Você está uma coisa de linda. E fuma agora uns cigarrinhos pilantras, azul e dourado. Juro que eu tinha que ver ainda uma vez toda essa beleza, sentir esse perfume. Então? Fiz mal?

— Podia ter escolhido um outro lugar, não? — Abrandara a voz. — E o que é isso aí? Um cemitério?

Ele voltou-se para o velho muro arruinado. Indicou com o olhar o portão de ferro, carcomido pela ferrugem.

— Cemitério abandonado, meu anjo. Vivos e mortos, desertaram todos. Nem os fantasmas sobraram, olha aí como as criancinhas brincam sem medo — acrescentou apontando as crianças na sua ciranda.

Ela tragou lentamente. Soprou a fumaça na cara do companheiro.

— Ricardo e suas ideias. E agora? Qual é o programa?

Brandamente ele a tomou pela cintura.

— Conheço bem tudo isso, minha gente está enterrada aí. Vamos entrar um instante e te mostrarei o pôr do sol mais lindo do mundo.

Ela encarou-o um instante. E vergou a cabeça para trás numa risada.

— Ver o pôr do sol? Ah, meu Deus... Fabuloso, fabuloso! Me implora um último encontro, me atormenta dias seguidos, me faz vir de longe para esta buraqueira, só mais uma vez, só mais uma! E para quê? Para ver o pôr do sol num cemitério.

Ele riu também, afetando encabulamento como um menino pilhado em falta.

— Raquel, minha querida, não faça assim comigo. Você sabe que eu gostaria era de te levar ao meu apartamento, mas fiquei mais pobre ainda, como se isso fosse possível. Moro agora numa pensão horrenda, a dona é uma Medusa que vive espiando pelo buraco da fechadura.

— E você acha que eu iria?

— Não se zangue, sei que não iria, você está sendo fidelíssima. Então pensei, se pudéssemos conversar um pouco numa rua afastada... — disse ele, aproximando-se mais.

Acariciou-lhe o braço com as pontas dos dedos. Ficou sério. E aos poucos inúmeras rugazinhas foram-se formando em redor dos seus olhos ligeiramente apertados. Os leques de rugas se aprofundaram numa expressão astuta. Não era nesse instante tão jovem como aparentava. Mas logo sorriu e a rede de rugas desapareceu sem deixar vestígio. Voltou--lhe novamente o ar inexperiente e meio desatento.

— Você fez bem em vir.

— Quer dizer que o programa... E não podíamos tomar alguma coisa num bar?

— Estou sem dinheiro, meu anjo, vê se entende.

— Mas eu pago.

— Com o dinheiro dele? Prefiro beber formicida. Escolhi este passeio porque é de graça e muito decente, não pode haver um passeio mais decente, não concorda comigo? Até romântico.

Ela olhou em redor. Puxou o braço que ele apertava.

— Foi um risco enorme, Ricardo. Ele é ciumentíssimo. Está farto de saber que tive meus casos. Se nos pilha juntos, então sim, quero só ver se alguma das suas fabulosas ideias vai me consertar a vida.

— Mas me lembrei deste lugar justamente porque não quero que você se arrisque, meu anjo. Não tem lugar mais discreto do que um cemitério abandonado, veja, completamente abandonado — prosseguiu ele, abrindo o portão. Os velhos gonzos gemeram. — Jamais seu amigo ou um amigo do seu amigo saberá que estivemos aqui.

— É um risco enorme, já disse. Não insista nessas brincadeiras, por favor. E se vem um enterro? Não suporto enterros.

— Mas enterro de quem? Raquel, Raquel, quantas vezes preciso repetir a mesma coisa? Há séculos ninguém mais é enterrado aqui, acho que nem os ossos sobraram, que bobagem. Vem comigo, pode me dar o braço, não tenha medo.

O mato rasteiro dominava tudo. E não satisfeito de ter-se alastrado furioso pelos canteiros, subira pelas sepulturas, infiltrara-se ávido pelos rachões dos mármores, invadira as alamedas de pedregulhos esverdinhados, como se quisesse com sua violenta força de vida cobrir para sempre os últimos vestígios da morte. Foram andando pela longa alameda banhada de sol. Os passos de ambos ressoavam sonoros como uma estranha música feita do som das folhas secas trituradas sobre os pedregulhos. Amuada mas obediente, ela se deixava conduzir como uma criança. Às vezes mostrava certa curiosidade por uma ou outra sepultura com os pálidos medalhões de retratos esmaltados.

— É imenso, hein? E tão miserável, nunca vi um cemitério mais miserável, que deprimente — exclamou ela, atirando a ponta do cigarro na direção de um anjinho de cabeça decepada. — Vamos embora, Ricardo, chega.

— Ah, Raquel, olha um pouco para esta tarde! Deprimente por quê? Não sei onde foi que eu li, a beleza não está nem na luz da manhã nem na sombra da noite, está no crepúsculo, nesse meio-tom, nessa ambiguidade. Estou-lhe dando um crepúsculo numa bandeja e você se queixa.

— Não gosto de cemitério, já disse. E ainda mais cemitério pobre.

Delicadamente ele beijou-lhe a mão.

— Você prometeu dar um fim de tarde a este seu escravo.

— É, mas fiz mal. Pode ser muito engraçado, mas não quero me arriscar mais.

— Ele é tão rico assim?

— Riquíssimo. Vai me levar agora numa viagem fabulosa até o Oriente. Já ouviu falar no Oriente? Vamos até o Oriente, meu caro.

Ele apanhou um pedregulho e fechou-o na mão. A pequenina rede de rugas voltou a se estender em redor dos seus olhos. A fisionomia, tão aberta e lisa, repentinamente escureceu, envelhecida. Mas logo o sorriso reapareceu e as rugazinhas sumiram.

— Eu também te levei um dia para passear de barco, lembra?

Recostando a cabeça no ombro do homem, ela retardou o passo.

— Sabe, Ricardo, acho que você é mesmo meio tantã... Mas apesar de tudo, tenho às vezes saudade daquele tempo. Que ano aquele. Quando penso, não entendo como aguentei tanto, imagine, um ano!

— É que você tinha lido *A Dama das Camélias,* ficou assim toda frágil, toda sentimental. E agora? Que romance você está lendo agora?

— Nenhum — respondeu ela franzindo os lábios. Deteve-se para ler a inscrição de uma laje despedaçada: — *À minha querida esposa, eternas saudades* — leu em voz baixa. — Pois sim. Durou pouco essa eternidade.

Ele atirou o pedregulho num canteiro ressequido.

— Mas é esse abandono na morte que faz o encanto disto. Não se encontra mais a menor intervenção dos vivos, a estúpida intervenção dos vivos. Veja — disse apontando uma sepultura fendida, a erva daninha brotando insólita de dentro da fenda — o musgo já cobriu o nome da pedra. Por cima do musgo, ainda virão as raízes, depois as folhas... Esta, a morte perfeita, nem lembrança, nem saudade, nem o nome sequer. Nem isso.

Ela aconchegou-se mais a ele. Bocejou.

— Está bem, mas agora vamos embora que já me diverti muito, faz tempo que não me divirto tanto, só mesmo um cara como você podia me fazer divertir assim. — Deu-lhe um rápido beijo na face. — Chega, Ricardo, quero ir embora.

— Mais alguns passos...

— Mas este cemitério não acaba mais, já andamos quilômetros! — Olhou para trás. — Nunca andei tanto, Ricardo, vou ficar exausta.

— A boa vida te deixou preguiçosa? Que feio — lamentou ele, impelindo-a para frente. — Dobrando esta alameda, fica o jazigo da minha gente, é de lá que se vê o pôr do sol. Sabe,

Raquel, andei muitas vezes por aqui de mãos dadas com minha prima. Tínhamos então doze anos. Todos os domingos minha mãe vinha trazer flores e arrumar nossa capelinha onde já estava enterrado meu pai. Eu e minha priminha vínhamos com ela e ficávamos por aí, de mãos dadas, fazendo tantos planos. Agora as duas estão mortas.

— Sua prima também?

— Também. Morreu quando completou quinze anos. Não era propriamente bonita, mas tinha uns olhos... Eram assim verdes como os seus, parecidos com os seus. Extraordinário, Raquel, extraordinário como vocês duas... Penso agora que toda a beleza dela residia apenas nos olhos, assim meio oblíquos, como os seus.

— Vocês se amaram?

— Ela me amou. Foi a única criatura que... — Fez um gesto. — Enfim, não tem importância.

Raquel tirou-lhe o cigarro, tragou e depois devolveu-o.

— Eu gostei de você, Ricardo.

— E eu te amei. E te amo ainda. Percebe agora a diferença?

Um pássaro rompeu o cipreste e soltou um grito. Ela estremeceu.

— Esfriou, não? Vamos embora.

— Já chegamos, meu anjo. Aqui estão meus mortos.

Pararam diante de uma capelinha coberta de alto a baixo por uma trepadeira selvagem, que a envolvia num furioso abraço de cipós e folhas. A estreita porta rangeu quando ele a abriu de par em par. A luz invadiu um cubículo de paredes enegrecidas, cheias de estrias de antigas goteiras. No centro do cubículo, um altar meio desmantelado, coberto por uma toalha que adquirira a cor do tempo. Dois vasos de desbotada opalina ladeavam um tosco crucifixo de madeira. Entre os braços da cruz, uma aranha tecera dois triângulos de teias já rompidas, pendendo como farrapos de um manto que alguém colocara sobre os ombros do Cristo. Na parede lateral, à direita da porta, uma portinhola de ferro dando acesso para uma escada de pedra descendo em caracol para a catacumba.

Ela entrou na ponta dos pés, evitando roçar mesmo de leve naqueles restos da capelinha.

— Que triste que é isto, Ricardo. Nunca mais você esteve aqui?

Ele tocou na face da imagem recoberta de poeira. Sorriu, melancólico.

— Sei que você gostaria de encontrar tudo limpinho, flores nos vasos, velas, sinais da minha dedicação, certo? Mas já disse que o que mais amo neste cemitério é precisamente este abandono, esta solidão. As pontes com o outro mundo foram cortadas e aqui a morte se isolou total. Absoluta.

Ela adiantou-se e espiou através das enferrujadas barras de ferro da portinhola. Na semiobscuridade do subsolo, os gavetões se estendiam ao longo das quatro paredes que formavam um estreito retângulo cinzento.

— E lá embaixo?

— Pois lá estão as gavetas. E nas gavetas, minhas raízes. Pó, meu anjo, pó — murmurou ele.

Abriu a portinhola e desceu a escada. Aproximou-se de uma gaveta no centro da parede, segurando firme na alça de bronze, como se fosse puxá-la.

— A cômoda de pedra. Não é grandiosa?

Detendo-se no topo da escada, ela inclinou-se mais para ver melhor.

— Todas essas gavetas estão cheias?

— Cheias?... Só as que têm um retrato e a inscrição, está vendo? Nesta está o retrato da minha mãe, aqui ficou minha mãe — prosseguiu ele tocando com os dedos num medalhão esmaltado, embutido no centro da gaveta.

Ela cruzou os braços. Falou baixinho, um ligeiro tremor na voz.

— Vamos, Ricardo, vamos.

— Você está com medo.

— Claro que não, estou é com frio. Suba e vamos embora, estou com frio.

Ele não respondeu. Adiantara-se até um dos gavetões na

parede oposta e acendeu um fósforo. Inclinou-se para o medalhão frouxamente iluminado.

— A priminha Maria Emília. Lembro-me até do dia em que tirou esse retrato, duas semanas antes de morrer... Prendeu os cabelos com uma fita azul e veio se exibir, estou bonita? Estou bonita? — falava agora consigo mesmo, doce e gravemente. — Não é que fosse bonita, mas os olhos... Venha ver, Raquel, é impressionante como tinha olhos iguais aos seus.

Ela desceu a escada, encolhendo-se para não esbarrar em nada.

— Que frio faz aqui. E que escuro, não estou enxergando!

Acendendo outro fósforo, ele ofereceu-o à companheira.

— Pegue, dá para ver muito bem... — Afastou-se para o lado. — Repare nos olhos.

— Mas está tão desbotado, mal se vê que é uma moça... — Antes da chama se apagar, aproximou-a da inscrição feita na pedra. Leu em voz alta, lentamente: — Maria Emília, nascida em vinte de maio de mil e oitocentos e falecida... — Deixou cair o palito e ficou um instante imóvel. — Mas esta não podia ser sua namorada, morreu há mais de cem anos! Seu menti...

Um baque metálico decepou-lhe a palavra pelo meio. Olhou em redor. A peça estava deserta. Voltou o olhar para a escada. No topo, Ricardo a observava por detrás da portinhola fechada. Tinha seu sorriso meio inocente, meio malicioso.

— Isto nunca foi o jazigo de sua família, seu mentiroso! Brincadeira mais cretina! — exclamou ela, subindo rapidamente a escada. — Não tem graça nenhuma, ouviu?

Ele esperou que ela chegasse quase a tocar o trinco da portinhola de ferro. Então deu uma volta à chave, arrancou-a da fechadura e saltou para trás.

— Ricardo, abre isto imediatamente! Vamos, imediatamente! — ordenou, torcendo o trinco. — Detesto este tipo de brincadeira, você sabe disso. Seu idiota! É no que dá seguir a cabeça de um idiota desses. Brincadeira mais estúpida!

— Uma réstia de sol vai entrar pela frincha da porta, tem uma frincha na porta. Depois vai se afastando devagarinho, bem devagarinho. Você terá o pôr do sol mais belo do mundo.

Ela sacudia a portinhola.

— Ricardo, chega, já disse! Chega! Abre imediatamente, imediatamente! — Sacudiu a portinhola com mais força ainda, agarrou-se a ela, dependurando-se por entre as grades. Ficou ofegante, os olhos cheios de lágrimas. Ensaiou um sorriso. — Ouça, meu bem, foi engraçadíssimo, mas agora preciso ir mesmo, vamos, abra...

Ele já não sorria. Estava sério, os olhos diminuídos. Em redor deles, reapareceram as rugazinhas abertas em leque.

— Boa noite, Raquel.

— Chega, Ricardo! Você vai me pagar!... — gritou ela, estendendo os braços por entre as grades, tentando agarrá-lo. — Cretino! Me dá a chave desta porcaria, vamos! — exigiu, examinando a fechadura nova em folha. Examinou em seguida as grades cobertas por uma crosta de ferrugem. Imobilizou-se. Foi erguendo o olhar até a chave que ele balançava pela argola, como um pêndulo. Encarou-o, apertando contra a grade a face sem cor. Esbugalhou os olhos num espasmo e amoleceu o corpo. Foi escorregando. — Não, não...

Voltado ainda para ela, ele chegou até a porta e abriu os braços. Foi puxando as duas folhas escancaradas.

— Boa noite, meu anjo.

Os lábios dela se pregavam um ao outro, como se entre eles houvesse cola. Os olhos rodavam pesadamente numa expressão embrutecida.

— Não...

Guardando a chave no bolso, ele retomou o caminho percorrido. No breve silêncio, o som dos pedregulhos se entrechocando úmidos sob seus sapatos. E, de repente, o grito medonho, inumano:

— NÃO!

Durante algum tempo ele ainda ouviu os gritos que se multiplicaram, semelhantes aos de um animal sendo estraçalhado. Depois, os uivos foram ficando mais remotos, abafados como se viessem das profundezas da terra. Assim que atingiu o portão do cemitério, ele lançou ao poente um olhar mortiço. Ficou atento. Nenhum ouvido humano escutaria agora qualquer chamado. Acendeu um cigarro e foi descendo a ladeira. Crianças ao longe brincavam de roda.

Eu Era Mudo e Só

Sentou na minha frente e pôs-se a ler um livro à luz do abajur. Já está preparada para dormir: o macio roupão azul sobre a camisola, a chinela de rosinhas azuis, o frouxo laçarote de fita prendendo os cabelos alourados, a pele tão limpa, tão brilhante, cheirando a sabonete provavelmente azul, tudo tão vago, tão imaterial. Celestial.

— Você parece um postal. O mais belo postal da coleção Azul e Rosa. Quando eu era menino, adorava colecionar postais.

Ela sorriu e eu sorrio também ao vê-la consertar quase imperceptivelmente a posição das mãos. Agora o livro parece flutuar entre seus dedos tipo Gioconda. Acendo um cigarro. Tia Vicentina dizia sempre que eu era muito esquisito. "Ou esse seu filho é meio louco, mana, ou então..." Não tinha coragem de completar a frase, só ficava me olhando, sinceramente preocupada com meu destino. Penso agora como ela ficaria espantada se me visse aqui nesta sala que mais parece a página de uma dessas revistas da arte de decorar, bem-vestido, bem barbeado e bem casado, solidamente casado com uma mulher divina-maravilhosa, quando borda, o trabalho parece sair das mãos de uma freira e quando cozinha!... Verlaine em sua boca é aquela pronúncia, a voz impostada, uma voz rara. E se tem filho então, tia Vicentina? A criança nasce uma dessas coisas, entende? Tudo tão harmonioso, tão perfeito. "Que gênero de poesia a senhora prefere?", perguntou o repórter à poetisa peituda e a poetisa peituda revirou os olhos, "O senhor sabe, existe a poesia realista e a poesia sublime. Eu prefiro a sublime!". Pois aí está, tia Vicentina.

— Sublime.

— Você falou, meu bem? — perguntou Fernanda sem desviar o olhar do livro.

— Acho que gostaria de sair um pouco.

— Para ir aonde?

"Tomar um chope", eu estive a ponto de dizer. Mas a pergunta de Fernanda já tinha rasgado pelo meio minha vontade. A primeira pergunta de uma série tão sutil que quando eu chegasse até à rua já não teria vontade de tomar chope, não teria vontade de fazer mais nada. Tudo estaria estragado e o melhor ainda seria voltar.

Levanto-me sentindo seu olhar duplo pousar em mim, olhar duplo é uma qualidade raríssima, pode ler e ver o que estou fazendo. Tem a expressão mansa, desligada. Contudo, o olhar é mais preciso do que a máquina japonesa que comprou numa viagem: "Veja", disse, mostrando a fotografia, "até a sombra da asa da borboleta a objetiva pegou". Esse olhar na minha nuca. Não consegue captar minha expressão porque estou de costas.

— E se não vê a sombra das minhas asas é porque elas foram cortadas.

— Que foi que você resmungou, meu bem?

— Nada, nada. É um verso que me ocorreu, um verso sobre asas.

Ela contraiu as sobrancelhas.

— Engraçado, você não costuma pensar em voz alta.

Ela sabe o que costumo e o que não costumo. Sabe tudo porque é exemplar e a esposa exemplar deve adivinhar. Mordisco o lábio devagarinho, bem devagarinho até a dor ficar quase insuportável. Adivinhar meu pensamento. Sem dúvida ela chegaria um dia a esse estado de perfeição. E nessa altura eu estaria tão desfibrado, tão vil que haveria de chorar lágrimas de enternecimento quando a visse colocar na minha mão o copo d'água que pensei em ir buscar.

Abro a janela e sinto na cara o ar gelado da noite. A lua, não, a lua já tinha sido quase tocada, talvez nesse instante mesmo em que a olhava algum abelhudo já rondava por lá. Solidão era solidão de estrela. "Sei que a solidão é dura às vezes de aguentar", disse Jacó no dia que soube do meu casamento. "Mas se é difícil carregar a solidão, mais difícil ainda é carregar uma companhia. A companhia resiste, a companhia tem uma saúde de ferro! Tudo pode acabar em redor e a companhia continua firme, pronta a virar qualquer coisa para não ir embora, mãe, irmã, enfermeira, amigo... Escolher para mulher aquela que seria nosso amigo se fosse homem, esse negócio então é o pior de todos. Abominável. Estremeço só em pensar nesse gênero de mulher que adora fazer noitada com o marido. Querem beber e não sabem beber, logo ficam vulgares, desbocadas..." Enveredamos proseando por uma rua de bairro, Jacó e eu. As casas eram antigas e havia no ar um misterioso perfume de jardim. Eu ria das coisas que Jacó ia dizendo, mas meu coração estava inquieto. Quando passamos por um bar, ele me tomou pelo braço: "Vamos beber enquanto ainda podemos beber juntos". Quase cheguei a me irritar, "Você não conhece a Fernanda. Ela é tão sensível, tão generosa, jamais pensará sequer em interferir na minha vida. E nem eu admitiria". Ele ficou olhando para o copo de uísque. "Mas está claro que ela não vai interferir, meu querubim. O processo será outro, conheço bem essas moças compreensivas, ora se!..." O ambiente estava aconchegante, o uísque era bom, estava gostando tanto de rever Jacó com sua boina e o sobretudo antiquíssimo. Recém-casado com a mulher que amava. E então? Por que não estava feliz? "Das duas, uma", prosseguiu Jacó enchendo a boca de amendoins. "Ou a mulher fica aquele tipo de amigona e etecetera e tal ou fica de fora. Se fica de fora, com a famosa sabedoria da serpente misturada à inocência da pomba, dentro de um tempo mínimo conseguirá indispor a gente de tal modo com os amigos que quando menos se espera estaremos distantes deles as vinte mil léguas submarinas. No outro caso, se ficar a tal que seria nosso amigo se fosse homem, acabará gostando tanto dos nossos amigos, mas tanto que logo escolherá o melhor para se deitar. Quer dizer, ou vai nos trair ou chatear. Ou as duas coisas."

— Esses cigarros devem estar velhos — disse Fernanda.

Volto-me devagar. Ela abre as páginas do livro com uma pequena espátula de marfim.

— Que cigarros?

— Esses da caixa, meu bem. Não foi por isso que você não fumou?

Abro o jornal. Mas que me importa o jornal? Queria outra coisa e olho em redor e não sei o que poderia ser.

— Fernanda, você se lembra do Jacó?

— Lembro, como não? Era simpático o Jacó.

— *Era*... Você fala como se ele tivesse morrido.

Ela sorriu entre complacente e irônica.

— Mas é como se tivesse morrido mesmo. Sumiu completamente, não?

— Completamente — respondo.

E escondo a cara atrás do jornal porque nesse instante exato eu gostaria que ela estivesse morta. Irremediavelmente morta e eu chorando como louco, chorando desesperado porque a verdade é que a amava, mas era verdade também que fora uma solução livrar-me dela assim. Uma morta pranteadíssima. Mas bem morta. E todos com uma pena enorme de mim e eu também esfrangalhado de dor porque jamais encontraria uma criatura tão extraordinária, que me amasse tanto como ela me amou. Sofrimento total. Mas quando viesse a noite e eu abrisse a porta e não a encontrasse me esperando para o jantar, quando me visse só no escuro nesta sala, então daria aquele grito que dei quando era menino e subi na montanha.

— Hoje você está cansado, não está?

Ergo o olhar até Fernanda. A mãe de minha filha. Minha companheira há doze anos, pronta para ir buscar aspirina se a dor é na cabeça, pronta para chamar o médico se a dor é no apêndice. Sou um monstro.

— Cansado propriamente não. Sem ânimo.

— Já reparei que ultimamente você anda esfregando muito os olhos, acho que devia ir ao oculista.

Não podia mais esfregar os olhos. Era bom esconder os polegares dentro da mão e ficar esfregando os olhos com os nós dos dedos, mas se continuasse fazendo isso teria que ir ao oculista para explicar. Os menores movimentos tinham que ter uma explicação, nenhum gesto gratuito, inútil. Abri a televisão e a moça de peruca loura me avisou que eu perderia os dentes se não comprasse o dentifrício... Desliguei depressa. Beba, coma, leia, vista — ah! Ah.

— *Eu era mudo e só na rocha de granito.*

Fernanda teve um risinho cascateante, é especialista nesse tipo de riso.

— Meu bem, quando eu era menina ouvi uma declamadora recitar isso numa festa em casa de uma tia velhinha, foi tão divertido. Ela gostava de recitar isso e aquela outra coisa ridícula, *se a cólera que espuma*!

Tão fina, não? Tão exigente. Poesia mesmo, só a de T. S. Eliot. Música, só a de Bach, "Pronuncia-se *Barh*", ensinou afetadamente ainda ontem para Gisela. Só lê literatura francesa, "Ih, o Robbe-Grillet, a Sarraute"... Como se tivesse há pouco tomado um café com eles na esquina.

— Ridículo por quê, Fernanda? São poesias ótimas.

— Ora, querido, não faça polêmica — murmurou ela inclinando a cabeça para o ombro. Levantou a espátula: — Tinha me esquecido, imagine que Gisela teve distinção em inglês. Vai ganhar uma medalha.

Gisela, minha filha. Já sabia sorrir como a mãe sorria, de modo a acentuar a covinha da face esquerda. E já tinha a mesma mentalidade, uma pequenina burguesa preocupada com a aparência, "Papaizinho querido, não vá mais me buscar de jipe!". A querida tolinha sendo preparada como a mãe fora preparada, o que vale é o mundo das aparências. As aparências. Virtuosas, sem dúvida, de moral suficientemente rija para não pensar sequer em trair o marido, e o inferno? De constituição suficientemente resistente para sobreviver a ele, pois a esposa exemplar deve morrer depois para poupar-lhe os dissabores.

Era o círculo eterno sem começo nem fim. Um dia Gisela diria à mãe qual era o escolhido. Fernanda o convidaria para jantar conosco, exatamente como a mãe dela fizera comigo. O arzinho de falsa distraída em pleno funcionamento na inaparente teia das perguntas, "Diz que prolonga a vida a gente amar o trabalho que faz. Você ama o seu?...". A perplexidade do moço diante de certas considerações tão ingênuas, a mesma perplexidade que um dia senti. Depois, com o passar do tempo, a metamorfose na maquinazinha social azeitada pelo hábito de rir sem vontade, de chorar sem vontade, de falar sem vontade, de fazer amor sem vontade... O homem adaptável, ideal. Quanto mais for se apoltronando, mais há de convir aos outros, tão cômodo, tão portátil. Comunicação total, mimetismo: entra numa sala azul fica azul, numa vermelha, vermelho. Um dia se olha no espelho, de que cor eu sou? Tarde demais para sair porta afora. E desejando, covarde e miseravelmente desejando que ela se volte de repente para confessar, "Tenho um amante". Ou então que, em vez de enfiar a espátula no livro, enterre-a até o cabo no coração.

— Cris passou ontem lá na loja — disse ela. — Telefonou, você não estava. Parecia preocupado, não concordou com sua compra de tratores.

— E o que aquele filho de uma cadela entende de trator?

— Manuel!

— Desculpe, Fernanda, escapou. Mas é que nunca ele entendeu de tratores, fica falando sem entender do assunto.

E eu? Eu entendo? Penso no senador. Quanto tempo levei para entender aquele seu sorriso, quanto tempo. Estávamos os dois frente a frente, meu futuro sogro e eu. Ele brincava com a corrente do relógio e me olhava disfarçadamente, também tinha esse tipo de olhar duplo. "Se minha filha decidiu, então já está decidido. Apenas o senhor ainda não me disse o que gostaria de fazer." Procurei encará-lo. O que eu gostaria de fazer? Voltei-me para Fernanda que se sentara ao piano e cantarolava baixinho uma balada inglesa, uma balada muito antiga que contava a história de uma princesa que morreu de amor e foi enterrada num vale, *"and now she lays in the valley"*... O senador brincava ainda com a corrente: "Sei que o senhor é jornalista, mas está visto que depois do casamento vai ter que se ocupar com outra coisa, Fernanda vai querer ter o mesmo nível de vida que tem agora. Desde que deixei a política, vou de vento em popa no meu negócio. Queria convidá-lo para ser meu sócio. Que tal?". Fiquei olhando para sua corrente de ouro. "Mas, senador, acontece que não entendo nada de máquinas agrícolas!" Ele levantou-se para se servir de conhaque. E teve aquele sorriso especialíssimo, cujo sentido não consegui alcançar. "Entre para a firma, meu jovem, entre para a firma e vai entender rápido." Aceitei o conhaque. "O senhor me desculpe a franqueza, senador, mas o caso é que detesto máquinas..." Ele agora examinava a garrafa que tinha um rótulo pomposo, mas com o olhar sobressalente me observava. "Não importa, jovem. Vai entender e vai até gostar, questão de tempo." Baixei a cabeça, confundido. Questão de tempo? Tive então uma vontade absurda de me levantar e ir embora, sumir para sempre, sumir. Largar ali na sala o senador com suas máquinas, Fernanda com suas baladas, adeus, minha noiva, adeus! Tão forte a vontade de fugir que cheguei a agarrar os braços da poltrona para me levantar de um salto. A música, o conhaque, o pai e a filha, tudo, tudo era da melhor qualidade, impossível mesmo encontrar lá fora uma cena igual, uma gente igual. Mas gente para ser vista e admirada do lado de fora, através da vidraça. Acho que cheguei mesmo a me levantar. Dei uma volta em torno da mesa, olhei para o senador, para Fernanda, para o gato siamês enrodilhado na almofada. Fiquei. Fui relaxando os músculos, sentei-me de novo, bebi mais um pouco e fiquei. Fernanda cantava e a balada me pareceu desesperadamente triste com sua princesa enterrada num vale solitário, onde cresciam flores silvestres. Alguma coisa também parecia ter morrido em mim, "*and now she lays in the valley where the wild flowers nod*"...

— Quer ouvir música? — Fernanda perguntou, baixando o livro. — Gisela trouxe discos novos.

Já estou há algumas horas sem fazer nada, alheado. E a esposa exemplar não deve deixar o homem com a mente assim em disponibilidade.

— Agora não, depois.

Abro uma revista. Ela então inclinou a cabeça sob o halo redondo do abajur e recomeçou a ler. Que quadro! Se tivesse um grande cão sentado aos pés dela, um são-bernardo, por exemplo, a cena então ficaria perfeita. Mas mesmo sem o cachorrão peludo o quadro está tão bem-composto que não resisto de olhos abertos. Guardo o postal no bolso. Fernanda ficou impressa num postal, pronto, posso sair de cabeça descoberta e sem direção, ninguém me perguntou para onde vou nem a que horas devo voltar e se não quero levar um pulôver — ah! maravilha, maravilha. Não precisou ter amantes, não precisou morrer, não precisou acontecer nada de desagradável, de chocante, de repente tudo se imobilizou e virou uma superfície colorida e brilhante, para sempre um postal, um belíssimo postal que superou todos os que já vi em matéria de perfeição. Posso levá-lo comigo, mas como postal não faz perguntas não preciso dizer por que vou indo delirante rumo ao cais. Já vislumbro o navio em meio da cerração e a água mansa batendo no casco e o cheiro de mar. O cheiro de mar. O apito subindo pesadamente com a âncora, depressa, depressa que a escada ainda me espera! Subo levíssimo. Vai para Sumatra? Vai para Hong-Kong? O navio avança e um claro mar de estrelas vai-se abrindo em minha frente. Senta-se ao meu lado um companheiro de viagem. Não o distingo bem no escuro e isso nos faz mais livres ainda, dois passageiros sem bagagem e sem feições. Tiro o postal do bolso: "Esta era minha mulher. Esta era minha casa". O homem aproxima a brasa do cigarro da mancha azul e rosada que é Fernanda. "Ela morreu?", pergunta ele. "Não, não morreu. Uma noite ela virou este cartão. Tinha ainda uma menininha, um cachorro, um piano, tinha muitas coisas mais. Viraram este cartão." O homem não faz comentários. Guardo o postal no bolso. Posso também rasgá-lo em pedacinhos e atirá-lo no mar, não importa, é só um cartão e eu sou apenas um vagabundo debaixo das estrelas. Oh, prisioneiros dos cartões-postais de todo o mundo, venham ouvir comigo a música do vento! Nada é tão livre como o vento no mar!

— Será que você pode fechar a janela? — pede Fernanda. — Esfriou, já começou o inverno.

Abro os olhos. Eu também estou dentro do postal. Devo estar envelhecendo para começar a soma das compensações. Mas a alegria simples de sair em silêncio para visitar um amigo. De amar ou deixar de amar sem nenhum medo, nunca mais o medo de empobrecer, de me perder, já estou perdido! Poderei tomar um trem ou cortar os pulsos sem nenhuma explicação?

Através do vidro as estrelas me parecem incrivelmente distantes. Fecho a cortina.

As Pérolas

Demoradamente ele a examinava pelo espelho. "Está mais magra, pensou. Mas está mais bonita." Quando a visse, Roberto também pensaria o mesmo, "Está mais bonita assim".

Que iria acontecer? Tomás desviou o olhar para o chão. Pressentia a cena e com que nitidez: com naturalidade Roberto a levaria para a varanda e ambos se debruçariam no gradil. De dentro da casa iluminada, os sons do piano. E ali fora, no terraço deserto, os dois muito juntos se deixariam ficar olhando a noite. Conversariam? Claro que sim, mas só nos primeiros momentos. Logo atingiriam aquele estado em que as palavras são demais. Quietos e tensos, mas calados na sombra. Por quanto tempo? Impossível dizer, mas o certo é que ficariam sozinhos uma parte da festa, apoiados no gradil dentro da noite escura. Só os dois, lado a lado, em silêncio. O braço dele roçando no braço dela. O piano.

— Tomás, você está se sentindo bem? Que é, Tomás?

Ele estremeceu. Agora era Lavínia que o examinava pelo espelho.

— Eu? Não, não se preocupe — disse ele, passando a mão pelo rosto. — Preciso fazer a barba...

— Tomás, você não me respondeu — insistiu ela. — Você está bem?

— Claro que estou bem.

A ociosidade, a miserável ociosidade daqueles interrogatórios. "Você está bem?" O sorriso postiço. "Estou bem." A insistência era necessária. "Bem mesmo?" Oh, Deus. "Bem mesmo." A pergunta exasperante: "Você quer alguma coisa?". A resposta invariável: "Não quero nada."

"Não quero nada, isto é, quero viver. Apenas viver, minha querida, viver..." Com um movimento brando, ele ajeitou a cabeça no espaldar da poltrona. Parecia simples, não? Apenas viver. Esfregou a face na almofada de crochê. Relaxou os músculos. Uma ligeira vertigem turvou-lhe a visão. Fechou os olhos quando as tábuas do teto se comprimiram num balanço de onda. Esboçou um gesto impreciso em direção à mulher.

— Sinto-me tão bem.

— Pensei que você estivesse com alguma dor.

— Dor? Não. Eu estava mas era pensando.

Lavínia penteava os cabelos. Inclinara-se mais sobre a mesinha, de modo a poder ver melhor o marido que continuava estirado na sua poltrona, colocada um pouco atrás e à direita da banqueta na qual ela estava sentada.

— Pensando em coisas tristes?

— Não, até que não... — respondeu ele.

Seria triste pensar, por exemplo, que enquanto ele ia apodrecer na terra ela caminharia ao sol de mãos dadas com outro?

Era verdadeiramente espantosa a nitidez com que imaginava a cena: o piano inesgotável, o ar morno da noite de outubro, tinha ainda que ser outubro com aquele perfume indefinível da primavera. A folhagem parada. E os dois, ombro a ombro, palpitantes e controlados, olhos fixos na escuridão. "Lavínia e Roberto já foram embora?", perguntaria alguém num sussurro. A resposta sussurrante, pesada de reticências: "Estão lá fora na varanda".

Cruzando os braços com um gesto brusco, ele esfregou o pijama nas axilas molhadas. Disfarçou o gesto e ali ficou alisando as axilas, como se sentisse uma vaga coceira. Cerrou os dentes. Por que nenhum convidado entrava naquele terraço? Por que não se rompiam, com estrépito, as cordas do piano? Ao menos — ao menos! — por que não desabava uma tempestade?

— A noite está firme?

— Firmíssima. Até lua tem.

Ele riu:

— Imagine, até isso.

Lavínia apoiou o queixo nas mãos entrelaçadas. Lançou-lhe um olhar inquieto.

— Tomás, que mistério é esse?

— Não tem mistério nenhum, meu amor. Ao contrário, tudo me parece tão simples. Mas vamos, não se importe comigo, estou brincando com minhas ideias, aquela brincadeira de ideias conexas, você sabe... — Teve uma expressão sonolenta. — Mas você não vai se atrasar? Me parece que a reunião é às nove. Não é às nove?

— Ai! essa reunião. Estou com tanta vontade de ir como de me enforcar naquela porta. Vai ser uma chatice, Tomás, as reuniões lá sempre são chatíssimas, tudo igual, os sanduíches de galinha, o uísque ruim, o ponche doce demais...

— E Chopin, o Bóris não falha nunca. De Chopin você gosta.

— Ah, Tomás, não começa. Queria tanto ficar aqui com você.

Era verdade, ela preferia ficar, ela ainda o amava. Um amor meio esgarçado, sem alegria. Mas ainda amor. Roberto não passava de uma nebulosa imprecisa e que só seus olhos assinalaram a distância. No entanto, dentro de algumas horas, na aparente candura de uma varanda... Os acontecimentos se precipitando com uma rapidez de loucura, força de pedra que dormiu milênios e de repente estoura na avalancha. E estava em suas mãos impedir. Crispou-as dentro do bolso do roupão.

— Quero que você se distraia, Lavínia, sempre será mais divertido do que ficar aqui fechada. E depois, é possível que desta vez não seja assim tão igual, Roberto deve estar lá.

— Roberto?

— Roberto, sim.

Ela teve um gesto brusco.

— Mas Roberto está viajando. Já voltou?

— Já, já voltou.

— Como é que você sabe?

— Ele telefonou outro dia, tinha me esquecido de dizer. Telefonou, queria nos visitar. Ficou de aparecer uma noite dessas.

— Imagine... — murmurou ela, voltando-se de novo para o espelho. Com um fino pincel, pôs-se a delinear os olhos. Falou devagar, sem mover qualquer músculo da face. — Já faz mais de um ano que ele sumiu.

— É, faz mais de um ano.

Paciente Roberto. Pacientíssimo Roberto.

— E não se casou por lá?

Ele tentou vê-la através do espelho, mas agora ela baixara a cabeça. Mergulhava a ponta do pincel no vidro. Repetiu a pergunta:

— Ele não se casou por lá? Hein?... Não se casou, Tomás?

— Não, não se casou.

— Vai acabar solteirão.

Tomás teve um sorriso lento. Respirou penosamente, de boca aberta. E voltou o rosto para o outro lado. "Meu Deus." Apertou os olhos que foram se reduzindo, concentrados no vaso de gerânios no peitoril da janela. "Eles sabem que nem chegarei a ver este botão desabrochar." Estendeu a mão ávida em direção à planta, colheu furtivamente alguns botões. Esmigalhou-os entre os dedos. Relaxou o corpo. E cerrou os olhos, a fisionomia em paz. Falou num tom suave.

— Você vai chegar atrasada.

— Melhor, ficarei menos tempo.

— Vai me dizer depois se gostou ou não. Mas tem que dizer mesmo.

— Digo, sim.

Depois ela não lhe diria mais nada. Seria o primeiro segredo entre os dois, a primeira névoa baixando densa, mais densa, separando-os como um muro embora caminhassem lado a lado. Viu-a perdida em meio da cerração, o rosto indistinto, a forma irreal. Encolheu-se no fundo da poltrona, uma mão escondida na outra, caramujo gelado rolando na areia, solidão, solidão. "Lavínia, não me abandone já, deixe ao menos eu partir primeiro!" A boca salgada de lágrimas. "Ao menos eu partir primeiro..." Retesou o tronco, levantou a cabeça. Era cruel. "Não podem fazer isso comigo, eu ainda estou vivo, ouviram bem? Vivo!"

— Ratos.

— Que ratos?

— Ratos, querida, ratos — disse e sorriu da própria voz aflautada. — Já viu um rato bem de perto? Tinha muito rato numa pensão onde morei. De dia ficavam enrustidos, mas de noite se punham insolentes, entravam nos armários, roíam o assoalho, roque-roque... Eu batia no chão para eles pararem e nas primeiras vezes eles pararam mesmo, mas depois foram se acostumando com minhas batidas e no fim eu podia atirar até uma bomba que continuavam roque-roque-roque-roque... Mas aí eu também já estava acostumado. Uma noite um deles andou pela minha cara. As patinhas são frias.

— Que coisa horrível, Tomás!

— Há piores.

A varanda. Lá dentro, o piano, sons melosos escorrendo num Chopin de bairro, as notas se acavalando no desfibramento de quem pede perdão, "Estou tão destreinado, esqueci tudo!". O incentivo ainda mais torpe, "Ora, está bom, continue!". Mas nem de rastros os sons penetravam realmente no silêncio da varanda, silêncio conivente isolando os dois numa aura espessa, de se cortar com faca. Então Roberto perguntaria naquele tom interessado, tão fraterno: "E o Tomás?". O descarado. A espera da resposta inevitável, o crápula. A espera da confissão que nem a si mesma ela tivera coragem de fazer: "Está cada vez pior". Ele pousaria de leve a mão no seu ombro, como a lhe dizer: "Eu estou ao seu lado, conte comigo". Mas não lhe diria isso, não lhe diria nada, ah, Roberto era oportuno demais para dizer qualquer coisa, ele apenas pousaria a mão no ombro dela e com esse gesto estaria dizendo tudo, "Eu te amo, Lavínia, eu te amo".

— Vou molhar os cabelos, estão secos como palha — queixou-se ela. E voltou-se para o homem: — Tomás, que tal um copo de leite?

Leite. Ela lhe oferecia leite. Contraiu os maxilares.

— Não quero nada.

Diante do espelho, ela deslizou os dedos pelo corpo, arrepanhando o vestido nos quadris. Parecia desatenta, fatigada.

— Está largo demais, quem sabe é melhor ir com o verde?

— Mas você fica melhor de preto — disse ele passando a ponta da língua pelos lábios gretados.

Roberto gostaria de vê-la assim, magra e de preto, exatamente como naquele jantar. Ela nem se lembrava mais, pelo menos *ainda* não se lembrava, mas ele revia como se tivesse sido na véspera aquela noite havia quase dez anos.

Dois dias antes do casamento. Lavínia estava assim mesmo, toda vestida de preto. Como única joia, trazia seu colar de pérolas, precisamente aquele que estava ali, na caixa de cristal. Roberto fora o primeiro a chegar. Estava eufórico: "Que elegância, Lavínia! Como lhe vai bem o preto, nunca te vi tão linda. Se eu fosse você, faria o vestido de noiva preto. E estas pérolas? Presente do noivo?". Sim, parecia satisfeitíssimo, mas no fundo do seu sorriso, sob a frivolidade dos galanteios, lá no fundo, só ele, Tomás, adivinhava qualquer coisa de sombrio. Não, não era ciúme nem propriamente mágoa, mas qualquer coisa assim com o sabor sarcástico de uma advertência, "Fique com ela, fique com ela por enquanto. Depois veremos". Depois era agora.

A varanda, floreios de Chopin se diluindo no silêncio, vago perfume de folhagem, vago luar, tudo vago. Nítidos, só os dois, tão nítidos. Tão exatos. A conversa fragmentada, mariposa sem alvo deixando aqui e ali o pólen de prata das asas, "E aquele jantar, hein, Lavínia?". Ah, aquele jantar. "Foi há mais de dez anos, não foi?" Ela demoraria para responder. "No final, você lembra?, recitei Geraldy. Eu estava meio bêbado, mas disse o poema inteiro, não encontrei nada melhor para te saudar, lembra?" Ela ficaria séria. E, um tanto perturbada, levaria a mão ao colar de pérolas, gesto tão seu quando não sabia o que dizer: tomava entre os dedos a conta maior do fio e ficava a rodá-la devagar. Sim, como não? Lembrava-se perfeitamente, só que o verso adquiria agora um novo sentido, não, não era mais o cumprimento galante para arreliar o noivo. Era a confissão profunda, grave: "Se eu te amasse, se tu me amasses, como nós nos amaríamos!".

— Podia usar o cinto — murmurou ela, voltando a apanhar o vestido nas costas. Dirigiu-se ao banheiro. — Paciência, ninguém vai reparar muito em mim.

"Só Roberto", ele quis dizer. Esfregou vagarosamente as mãos. Examinou as unhas. "Têm que estar muito limpas", lembrou entrelaçando os dedos. Levou as mãos ao peito e vagou o olhar pela mesa: a esponja, o perfume, a escova, os grampos, o colar de pérolas... Através do vidro da caixa, ele via o colar. Ali estavam as pérolas que tinham atraído a atenção de Roberto, rosadas e falsas, mas singularmente brilhantes. Voltando ao quarto, ela poria o colar, distraída, inconsciente ainda de tudo quanto a esperava. No entanto, se lhe pedisse, "Lavínia, não vá", se lhe dissesse isto uma única vez, "não vá, fica comigo!".

Vergou o tronco até tocar o queixo nos joelhos, o suor escorrendo ativo pela testa, pelo pescoço, a boca retorcida,

"Meu Deus!". O quarto rodopiava e numa das voltas sentiu-se arremessado pelo espaço, uma pedra subindo aguda até o limite do grito. E a queda desamparada no infinito, "Lavínia, Lavínia!...". Fechou os olhos e tombou no fundo da poltrona, tão gelado e tão exausto que só pôde desejar que Lavínia não entrasse naquele instante, não queria que ela o encontrasse assim, a boca ainda escancarada na convulsão da náusea. Puxou o xale até o pescoço. Agora era o cansaço atroz que o fazia sentir-se uma coisa miserável, sem forças sequer para abrir os olhos, "Meu Deus". Passou a mão na testa, mas a mão também estava úmida. "Meu Deus meu Deus meu Deus", ficou repetindo meio distraidamente. Esfregou as mãos no tecido esponjoso da poltrona, acelerando o movimento. Ninguém podia ajudá-lo, ninguém. Pensou na mãe, na mulherzinha raquítica e esmolambada que nada tivera na vida, nada a não ser aqueles olhos poderosos, desvendadores. Dela herdara o dom de pressentir. "Eu já sabia", ela costumava dizer quando vinham lhe dar as notícias. "Eu já sabia", ficava repetindo obstinadamente, apertando os olhos de cigana. "Mas, se você sabia, por que então não fez alguma coisa para impedir?!", gritava o marido a sacudi-la como um trapo. Ela ficava menorzinha nas mãos do homem, mas cresciam assustadores os olhos de ver na distância. "Fazer o quê? Que é que eu podia fazer senão esperar?"

"Senão esperar", murmurou ele, voltando o olhar para o fio de pérolas enrodilhado na caixa. Ficou ouvindo a água escorrendo na torneira.

— Você vai chegar atrasada!

O jorro foi interceptado pelo dique do pente.

— Não tem importância, amor.

Num movimento ondulante, ele se pôs na beirada da poltrona, o tronco inclinado, o olhar fixo.

— Está se esmerando, não?

— Nada disso, é que não acerto com o penteado.

— Seus grampos ficaram aqui. Você não quer os grampos? — disse ele. E num salto aproximou-se da mesa, apanhou o colar de pérolas, meteu-o no bolso e voltou à poltrona. — Não vai precisar de grampos?

— Não, já acabei, até que ficou melhor do que eu esperava.

Ele respirou de boca aberta, arquejante. Sorriu quando a viu entrar.

— Ficou lindo. Gosto tanto quando você prende o cabelo.

— Não vejo é o meu colar — murmurou ela abrindo a caixa de cristal. Franziu as sobrancelhas. — Parece que ainda agora estava por aqui.

— O de pérolas? Parece que vi também. Mas não está dentro da caixa?

— Não, não está. Que coisa mais misteriosa! Eu tinha quase certeza...

Agora ela revolvia as gavetas. Abriu caixas, apalpou os bolsos das roupas.

— Não se preocupe com isso, meu bem, você deve ter esquecido em algum lugar. Já é tarde, procuraremos amanhã — disse ele, baixando os olhos. Brincou com o pingente da cortina. — Prometi te dar um colar verdadeiro, lembra, Lavínia? E nunca pude cumprir a promessa.

Ela remexia as gavetas da cômoda. Tirou a tampa de uma caixinha prateada, despejou-a e ficou olhando para o fundo de veludo da caixa vazia.

— Eu tinha ideia que... — Voltou até a mesa, abriu pensativa o frasco de perfume, umedeceu os dedos. Tapou o frasco e levou a mão ao pescoço. — Mas não é mesmo incrível?

— Decerto você guardou noutro lugar e esqueceu.

— Não, não, ele estava por aqui, tenho quase a certeza de que há pouco... — Sorriu voltando-se para o espelho. Interrogou o espelho. — Ou foi mesmo noutro lugar? Ah! lá sei — suspirou apanhando a carteira. Escovou com cuidado a seda já puída. — Que pena, o colar faz falta quando ponho este vestido, nenhum outro serve, só ele.

— Faz falta, sim — murmurou Tomás, segurando com firmeza o colar no fundo do bolso. E riu. — Que loucura.

— Hum? Que foi que você disse?

Tudo ia acontecer como ele previra, tudo ia se desenrolar com a naturalidade do inevitável, mas alguma coisa ele conseguira modificar, alguma coisa ele subtraíra da cena e agora estava ali na sua mão: um acessório, um mesquinho acessório mas indispensável para completar o quadro. Tinha a varanda, tinha Chopin, tinha o luar, mas faltavam as pérolas. Levantou a cabeça.

— Como pode ser, Tomás? Posso jurar que vi por aqui mesmo.

— Vamos, meu bem, não pense mais nisso. Umas pobres pérolas. Ainda te darei pérolas verdadeiras, nem que tenha que ir buscá-las no fundo do mar!

Ela afagou-lhe os cabelos. Ajeitou o xale para cobrir-lhe os pés e animou-se também.

— Pérolas da nossa ilha, Tomás?

— Da nossa ilha. Um colar compridíssimo, milhares e milhares de voltas.

Baixando os olhos brilhantes de lágrimas, ela inclinou-se para beijá-lo.

— Não demoro.

Quando a viu desaparecer, ele tirou o colar do bolso. Apertou-o fortemente, tentando triturá-lo, mas ao ver que as pérolas resistiam, escapando-lhe por entre os dedos, sacudiu-as com violência na gruta da mão. O entrechocar das contas produzia um som semelhante a uma risada. Sacudiu-as mais e riu, era como se tivesse prendido um duendezinho que agora se divertia em soltar risadinhas rosadas e falsas. Ficou sacudindo as pérolas, levando-as junto do ouvido. "Peguei-o, peguei-o", murmurou soprando malicioso pelo vão das mãos em concha. Ergueu-se e ficou sério, os olhos escancarados, voltado para o ruído do portão de ferro se fechando.

— Lavínia! Lavínia! — ele gritou correndo até a janela. Abriu-a. — Lavínia, espere!

Ela parou no meio da calçada e ergueu a cabeça, assustada. Retrocedeu. Ele teve um olhar tranquilo para a mulher banhada de luar.

— Que foi, Tomás? Que foi?

— Achei seu colar de pérolas. Tome — disse, estendendo o braço.

Deixou que o fio lhe escorresse por entre os dedos.

O Menino

Sentou-se num tamborete, fincou os cotovelos nos joelhos, apoiou o queixo nas mãos e ficou olhando para a mãe. Agora ela escovava os cabelos muito louros e curtos, puxando-os para trás. E os anéis se estendiam molemente para em seguida voltarem à posição anterior, formando uma coroa de caracóis sobre a testa. Deixou a escova, apanhou um frasco de perfume, molhou as pontas dos dedos, passou-os nos lóbulos das orelhas, no vértice do decote e em seguida umedeceu um lencinho de rendas. Através do espelho, olhou para o menino. Ele sorriu também, era linda, linda, linda! Em todo o bairro não havia uma moça linda assim.

— Quantos anos você tem, mamãe?

— Ah, que pergunta! Acho que trinta ou trinta e um, por aí, meu amor, por aí. Quer se perfumar também?

— Homem não bota perfume.

— Homem, homem! — Ela inclinou-se para beijá-lo. — Você é um nenenzinho, ouviu bem? É o meu nenenzinho.

O menino afundou a cabeça no colo perfumado. Quando não havia ninguém olhando, achava maravilhoso ser afagado como uma criancinha. Mas era preciso mesmo que não houvesse ninguém por perto.

— Agora vamos que a sessão começa às oito — avisou ela, retocando apressadamente os lábios.

O menino deu um grito, montou no corrimão da escada e foi esperá-la embaixo. Da porta, ouviu-a dizer à empregada que avisasse ao doutor que tinham ido ao cinema.

Na rua, ele andava pisando forte, o queixo erguido, os olhos acesos. Tão bom sair de mãos dadas com a mãe. Melhor ainda quando o pai não ia junto porque assim ficava sendo o cavalheiro dela. Quando crescesse haveria de se casar com uma moça igual. Anita não servia que Anita era sardenta. Nem Maria Inês com aqueles dentes saltados. Tinha que ser igualzinha à mãe.

— Você acha a Maria Inês bonita, mamãe?

— É bonitinha, sim.

— Ah! tem dentão de elefante.

E o menino chutou um pedregulho. Não, tinha que ser assim como a mãe, igualzinha à mãe. E com aquele perfume.

— Como é o nome do seu perfume?

— Vent Vert. Por quê, filho? Você acha bom?

— Que é que quer dizer isso?

— Vento Verde.

Vento verde, vento verde. Era bonito, mas existia vento verde? Vento não tinha cor, só cheiro. Riu.

— Posso te contar uma anedota, mãe? Posso?

— Se for anedota limpa, pode.

— Não é limpa não.

— Então não quero saber.

— Mas por quê, pô!?

— Eu já disse que não quero que você diga "pô".

Ele chutou uma caixa de fósforos. Pisou-a em seguida.

— Olha, mãe, a casa do Júlio...

Júlio conversava com alguns colegas no portão. O menino fez questão de cumprimentá-los em voz alta para que todos se voltassem e ficassem assim mudos, olhando. Vejam, esta é minha mãe! — teve vontade de gritar-lhes. Nenhum de vocês tem uma mãe linda assim! E lembrou deliciado que a mãe de Júlio era grandalhona e sem graça, sempre de chinelo e consertando meia. Júlio devia estar agora roxo de inveja.

— Ele é bom aluno? Esse Júlio.

— Que nem eu.

— Então não é.

O menino deu uma risadinha.

— Que fita a gente vai ver?

— Não sei, meu bem.

— Você não viu no jornal? Se for fita de amor, não quero! Você não viu no jornal, hein, mamãe?

Ela não respondeu. Andava agora tão rapidamente que às vezes o menino precisava andar aos pulos para acompanhá-la. Quando chegaram à porta do cinema, ele arfava. Mas tinha no rosto uma vermelhidão feliz.

A sala de espera estava vazia. Ela comprou os ingressos e em seguida, como se tivesse perdido toda a pressa, ficou tranquilamente encostada a uma coluna, lendo o programa. O menino deu-lhe um puxão na saia.

— Mãe, mas o que é que você está fazendo?! A sessão já começou, já entrou todo mundo, pô!

Ela inclinou-se para ele. Falou num tom muito suave, mas os lábios se apertavam comprimindo as palavras e os olhos tinham aquela expressão que o menino conhecia muito bem, nunca se exaltava, nunca elevava a voz. Mas ele sabia que quando ela falava assim, nem súplicas nem lágrimas conseguiam fazê-la voltar atrás.

— Sei que já começou mas não vamos entrar agora, ouviu? Não vamos entrar agora, espera.

O menino enfiou as mãos nos bolsos e enterrou o queixo no peito. Lançou à mãe um olhar sombrio. Por que é que não entravam logo? Tinham corrido feito dois loucos e agora aquela calma, *espera*. Esperar o quê, pô?!...

— É que a gente já está atrasado, mãe.

— Vá ali no balcão comprar chocolate — ordenou ela entregando-lhe uma nota nervosamente amarfanhada.

Ele atravessou a sala num andar arrastado, chutando as pontas de cigarro pela frente. Ora, chocolate. Quem é que quer chocolate? E se o enredo fosse de crime, quem é que ia entender chegando assim começado? Sem nenhum entusiasmo, pediu um tablete de chocolate. Vacilou um instante e pediu em seguida um tubo de drágeas de limão e um pacote de caramelos de leite, pronto, também gastava à beça. Recebeu o troco de cara fechada. Ouviu então os passos apressados da mãe que lhe estendeu a mão com impaciência:

— Vamos, meu bem, vamos entrar.

Num salto, o menino pôs-se ao lado dela. Apertou-lhe a mão freneticamente.

— Depressa que a fita já começou, não está ouvindo a música?

Na escuridão, ficaram um instante parados, envolvidos por um grupo de pessoas, algumas entrando, outras saindo. Foi quando ela resolveu.

— Venha vindo atrás de mim.

Os olhos do menino devassavam a penumbra. Apontou para duas poltronas vazias.

— Lá, mãezinha, lá tem duas, vamos lá!

Ela olhava para um lado, para outro e não se decidia.

— Mãe, aqui tem mais duas, está vendo? Aqui não está bom? — insistiu ele, puxando-a pelo braço. E olhava aflito para a tela e olhava de novo para as poltronas vazias que apareciam aqui e ali como coágulos de sombra. — Lá tem mais duas, está vendo?

Ela adiantou-se até as primeiras filas e voltou em seguida até o meio do corredor. Vacilou ainda um momento. E decidiu-se. Impeliu-o suave, mas resolutamente.

— Entre aí.

— Licença? Licença?... — ele foi pedindo. Sentou-se na primeira poltrona desocupada que encontrou, ao lado de uma outra desocupada também. — Aqui, não é, mãe?

— Não, meu bem, ali adiante — murmurou ela, fazendo-o levantar-se. Indicou os três lugares vagos quase no fim da fileira. — Lá é melhor.

Ele resmungou, pediu "licença, licença?", e deixou-se cair pesadamente no primeiro dos três lugares. Ela sentou-se em seguida.

— Ih, é fita de amor, pô!

— Quieto, sim?

O menino pôs-se na beirada da poltrona. Esticou o pescoço, olhou para a direita, para a esquerda, remexeu-se.

— Essa bruta cabeçona aí na frente!

— Quieto, já disse.

— Mas é que não estou enxergando direito, mãe! Troca comigo que não estou enxergando!

Ela apertou-lhe o braço. Esse gesto ele conhecia bem e significava apenas: não insista!

— Mas, mãe...

Inclinando-se até ele, ela falou-lhe baixinho, naquele tom perigoso, meio entre os dentes e que era usado quando estava no auge, um tom tão macio que quem a ouvisse julgaria que ela lhe fazia um elogio. Mas só ele sabia o que havia debaixo daquela maciez.

— Não quero que mude de lugar, está me escutando? Não quero. E não insista mais.

Contendo-se para não dar um forte pontapé na poltrona da frente, ele enrolou o pulôver como uma bola e sentou-se em cima. Gemeu. Mas por que aquilo tudo? Por que a mãe lhe falava daquele jeito, por quê? Não fizera nada de mal, só queria mudar de lugar, só isso... Não, desta vez ela não estava sendo nem um pouquinho camarada. Voltou-se então para lembrar-lhe que estava chegando muita gente, se não mudasse de lugar imediatamente, depois não poderia mais porque aquele era o último lugar vago que restava, "Olha aí, mamãe, acho que aquele homem vem pra cá!". Veio. Veio e sentou-se na poltrona vazia ao lado dela.

O menino gemeu, "Ai! meu Deus...". Pronto. Agora é que

não restava mesmo nenhuma esperança. E aqueles dois enjoados lá na fita numa conversa comprida que não acabava mais, ela vestida de enfermeira, ele de soldado, mas por que o tipo não ia pra guerra, pô!... E a cabeçona da mulher na sua frente indo e vindo para a esquerda, para a direita, os cabelos armados a flutuarem na tela como teias monstruosas de uma aranha. Um punhado de fios formava um frouxo topete que chegava até o queixo da artista. O menino deu uma gargalhada.

— Mãe, daqui eu vejo a mocinha de cavanhaque.

— Não faça assim, filho, a fita é triste... Olha, presta atenção, agora ele vai ter que fugir com outro nome... O padre vai arrumar o passaporte.

— Mas por que ele não vai pra guerra duma vez?

— Porque ele é contra a guerra, filho, ele não quer matar ninguém — sussurrou-lhe a mãe num tom meigo.

Devia estar sorrindo e ele sorriu também, ah! que bom, a mãe não estava mais nervosa, não estava mais nervosa. As coisas começavam a melhorar e para maior alegria, a mulher da poltrona da frente levantou-se e saiu. Diante dos seus olhos apareceu o retângulo inteiro da tela.

— Agora sim! — disse baixinho, desembrulhando o tablete de chocolate.

Meteu-o inteiro na boca e tirou os caramelos do bolso para oferecê-los à mãe. Então viu: a mão pequena e branca, muito branca, deslizou pelo braço da poltrona e pousou devagarinho nos joelhos do homem que acabara de chegar.

O menino continuou olhando, imóvel. Pasmado. Por que a mãe fazia aquilo?! Por que a mãe fazia aquilo?!... Ficou olhando sem nenhum pensamento, sem nenhum gesto. Foi então que as mãos grandes e morenas do homem tomaram avidamente a mão pequena e branca. Apertaram-na com tanta força que pareciam querer esmagá-la.

O menino estremeceu. Sentiu o coração bater descompassado, bater como só batera naquele dia na fazenda quando teve de correr como louco, perseguido de perto por um touro. O susto ressecou-lhe a boca. O chocolate foi-se transformando numa massa viscosa e amarga. Engoliu-o com esforço, como se fosse uma bola de papel. Redondos e estáticos, os olhos cravaram-se na tela. Moviam-se as imagens sem sentido num sonho fragmentado. Os letreiros dançavam e se fundiam pesadamente, como chumbo derretido. Mas o menino continuava imóvel, olhando obstinadamente. Um bar em Tóquio, brigas, a fuga do moço de capa perseguido pela sereia da polícia, mais brigas numa esquina, tiros. A mão pequena e branca a deslizar no escuro como um bicho. Torturas e gritos nos corredores paralelos da prisão, os homens agarrando as portas de grade, mais conspirações. Mais homens. A mão pequena e branca. A fuga, os faróis na noite, os gritos, mais tiros, tiros. O carro derrapando sem freios. Tiros. Espantosamente nítido em meio do fervilhar de sons e falas — e ele não queria, não queria ouvir! — o ciciar delicado dos dois num diálogo entre os dentes.

Antes de terminar a sessão — mas isso não acaba mais, não acaba? —, ele sentiu, mais do que sentiu, adivinhou a mão pequena e branca desprender-se das mãos morenas. E do mesmo modo manso como avançara, recuar deslizando pela poltrona e voltar a se unir à mão que ficara descansando no regaço. Ali ficaram entrelaçadas e quietas como estiveram antes.

— Está gostando, meu bem? — perguntou ela inclinando-se para o menino.

Ele fez que sim com a cabeça, os olhos duramente fixos na cena final. Abriu a boca quando o moço também abriu a sua para beijar a enfermeira. Apertou os olhos enquanto durou o beijo. Então o homem levantou-se embuçado na mesma escuridão em que chegara. O menino retesou-se, os maxilares contraídos, trêmulo. Fechou os punhos. "Eu pulo no pescoço dele, eu esgano ele!"

O olhar desvairado estava agora nas espáduas largas interceptando a tela como um muro negro. Por um brevíssimo instante ficaram paradas em sua frente. Próximas, tão próximas. Sentiu a perna musculosa do homem roçar no seu joelho, esgueirando-se rápida. Aquele contato foi como ponta de um alfinete num balão de ar. O menino foi-se descontraindo. Encolheu-se murcho no fundo da poltrona e pendeu a cabeça para o peito.

Quando as luzes se acenderam, teve um olhar para a poltrona vazia. Olhou para a mãe. Ela sorria com aquela mesma expressão que tivera diante do espelho, enquanto se perfumava. Estava corada, brilhante.

— Vamos, filhote?

Estremeceu quando a mão dela pousou no seu ombro. Sentiu-lhe o perfume. E voltou depressa a cabeça para o outro lado, a cara pálida, a boca apertada como se fosse cuspir. Engoliu penosamente. De assalto, a mão dela agarrou a sua. Sentiu-a quente, macia. Endureceu as pontas dos dedos, retesado, queria cravar as unhas naquela carne.

— Ah, não quer mais andar de mãos dadas comigo?

Ele inclinara-se, demorando mais do que o necessário para dobrar a barra da calça rancheira.

— É que não sou mais criança.

— Ah, o nenenzinho cresceu? Cresceu? — Ela riu baixinho. Beijou-lhe o rosto. — Não anda mais de mão dada?

O menino limpou nos dedos a umidade dos beijos no queixo, na orelha. Limpou as marcas com a mesma expressão com que limpava as mãos nos fundilhos da calça quando cortava as minhocas para o anzol.

Na caminhada de volta, ela falou sem parar, comentando excitada o enredo do filme. Explicando. Ele respondia com monossílabos.

— Mas que é que você tem, filho? Ficou mudo...

— Está me doendo o dente.

— Outra vez? Quer dizer que fugiu do dentista? Você tinha hora ontem, não tinha?

— Ele botou uma massa. Está doendo — murmurou inclinando-se para apanhar uma folha seca. Triturou-a no fundo do bolso. E respirou abrindo a boca. — Como dói, pô.

— Assim que chegarmos você toma uma aspirina. Mas não diga, por favor, essa palavrinha que detesto.

— Não digo mais.

Diante da casa de Júlio, instintivamente ele retardou o passo. Teve um olhar para a janela acesa. Vislumbrou uma sombra disforme passar através da cortina.

— Dona Margarida.

— Hum?

— A mãe do Júlio.

Quando entraram na sala, o pai estava sentado na cadeira de balanço, lendo o jornal. Como todas as noites, como todas as noites. O menino estacou na porta. A certeza de que alguma coisa terrível ia acontecer paralisou-o atônito, obumbrado. O olhar em pânico procurou as mãos do pai.

— Então, meu amor, lendo o seu jornalzinho? — perguntou ela, beijando o homem na face. — Mas a luz não está muito fraca?

— A lâmpada maior queimou, liguei essa por enquanto — disse ele, tomando a mão da mulher. Beijou-a demoradamente. — Tudo bem?

— Tudo bem.

O menino mordeu o lábio até sentir gosto de sangue na boca. Como nas outras noites, igual. Igual.

— Então, filho? Gostou da fita? — perguntou o pai dobrando o jornal. Estendeu a mão ao menino e com a outra começou a acariciar o braço nu da mulher. — Pela sua cara, desconfio que não.

— Gostei, sim.

— Ah, confessa, filhote, você detestou, não foi? — contestou ela. — Nem eu entendi direito, uma complicação dos diabos, espionagem, guerra, máfia... Você não podia ter entendido.

— Entendi. Entendi tudo — ele quis gritar e a voz saiu num sopro tão débil que só ele ouviu.

— E ainda com dor de dente! — acrescentou ela desprendendo-se do homem e subindo a escada. — Ah, já ia esquecendo a aspirina.

O menino voltou para a escada os olhos cheios de lágrimas.

— Que é isso? — estranhou o pai. — Parece até que você viu assombração. Que foi?

O menino encarou-o demoradamente. Aquele era o pai. O pai. Os cabelos grisalhos. Os óculos pesados. O rosto feio e bom.

— Pai... — murmurou, aproximando-se. E repetiu num fio de voz: — Pai...

— Mas, meu filho, que aconteceu? Vamos, diga!

— Nada. Nada.

Fechou os olhos para prender as lágrimas. Envolveu o pai num apertado abraço.

Sobre Lygia Fagundes Telles e Este Livro

"Antes de mais nada, Lygia Fagundes Telles soube ultrapassar o círculo de giz autobiográfico em que giram desesperadamente tantos contistas modernos. Ela possui, pois, a primeira qualidade do ficcionista, a de saber colocar-se na pele dos outros. Essa é mais uma ambiguidade do conto, que ela assume com a mesma autoridade de Machado de Assis ou de Joaquim Paço D'Arcos."

WILSON MARTINS

"O texto de Lygia prima pela unidade, pela densidade, pela extraordinária dignidade que confere à língua portuguesa, mesmo quando trata de temas ou situações sórdidas, perversas, violentas. Ler Lygia Fagundes Telles, para quem é dado a esses requintes, traz o prazer da descoberta da beleza, da sonoridade e da expressividade."

CAIO FERNANDO ABREU

"Contudo, cuidado. Esses contos revelam seres oprimidos, frequentemente volúveis, às vezes criminosos [...] Nada se explica: Alguns objetos, alguns detalhes são suficientes para marcar o clima. Uma penteadeira em desordem, um fio de pérolas enrodilhado no bolso de um marido e as personagens desatam a se questionar, enervadas, raivosas, enlouquecidas de ciúmes. Envolvido por esse fumo da paixão, o leitor se abandona deliciosamente à sua fome de justificativas e descobertas."

JEAN SOUBLIN (*L'EXPRESS*)

Garras de Veludo

POSFÁCIO / ANTONIO DIMAS

Bem vistas as coisas, não é difícil de perceber que o ponto de partida da maioria dos contos deste livro mostra sempre uma situação de equilíbrio, que descamba depois, mas sem estardalhaço. Nada mais contrário à índole desta literatura que o escândalo, a algazarra.

São estórias em que a situação inicial é sempre em foco pequeno, em surdina, em espaço restrito, bem íntimo, às vezes. Nada de grandes angulares, de cena alentada, de palco escancarado. Nada de épico. Tudo muito pontual, muito preciso, muito na mosca. Nenhuma entrada que ameace drama. Tudo muito disfarçado, tudo muito sorrateiro. Nem mesmo a ricaça destemperada, que se acha uma "puta bêbada mas rica", perde as estribeiras quando soluça sua paixão perdida por um fauno encaracolado, exímio instrumentista de um saxofone fálico.

A grande dama não conta: ela murmura, fala baixinho. Aproxima-se do leitor como seus gatos, de que ela gosta tanto. Parece até que são apenas estórias em torno daquelas mesas de barzinhos refinados, em fim de tarde de verão. Não as mesinhas da calçada, propícias ao chope, à algazarra, à voz elevada. Mas aquelas protegidas pelo ar-condicionado e pela luz indireta, nem um pouco solar. Não se engane com essa sinuosidade felina, felpuda. Não vá na conversa, não relaxe.

Fique esperto. Porque, quando você menos espera, as unhas retráteis aparecem e, logo depois delas, o risco na carne, o filetinho de sangue escorrendo. Nada muito profundo, mas o suficiente para incomodar, na hora e por tempo extenso, cravadas na memória. O suficiente para se lembrar de que, nas próximas vezes, você não deve se aproximar tão desguarnecido e confiante, porque o bote pode vir, quando menos se espera, não se sabe de onde. A cada aproximação, um aprendizado, independentemente do conto que você escolha.

Fique esperto! Não confie no ron-ron de Lygia Fagundes Telles.

"Antes do Baile Verde" era apenas um conto, no começo. Mas, em 1969, quando a autoestima brasileira andava ainda derrubada pelo AI-5, Lygia roubou a cena, porque o júri do Grande Prêmio Internacional Feminino para Contos Estrangeiros de Cannes, na França, escolheu-o para o primeiro lugar. Depois disso, a Editora Bloch do Rio de Janeiro aproveitou o nome, organizou um livro e publicou-o em 1970. Incensado pelo prêmio conquistado na França — país que, até hoje, funciona como GPS literário indispensável entre nós —, *Antes do Baile Verde* conheceu composições diferentes, desde então. Começou com dezesseis contos, depois passou para vinte, hoje apresenta-se com dezoito, em versão definitiva, segundo desejo da autora.

Para muitos leitores essa informação editorial é indiferente, porque nada acrescenta à sua leitura. Interessa-lhe menos ainda saber que a primeira edição de *Antes do Baile Verde* trazia um esclarecimento inicial, assinado pelos editores e que se chamava "Um conceito de renovação". No entanto, esse preâmbulo traz dados valiosos para melhor situar o livro e para melhor entender Lygia Fagundes Telles em perspectiva histórica mais profunda.

Duas são as tônicas desse esclarecimento inicial: o direito do escritor à mudança e a *probidade* de admiti-la, em público.

No contexto profissional daqueles anos 1960, Lygia tinha como referência outras tendências poéticas, como a Geração de 45 e o concretismo. Diante delas, era preciso deixar claro que sua visão do ofício não era inocente; que se submetia à artesania verbal duramente procurada, trabalhada e retrabalhada; que sua obra também estava *in progress*; que era enganosa a aparência de seus contos, se davam a ilusão de serem fáceis e fluentes. "Fiz cortes, acrescentei, reajustei, confessa a contista, mas sem alterar a fisionomia original de cada trabalho." Isso tudo era declarado em um momento no qual se acirrava a discussão em torno do profissionalismo da literatura, do lado de quem a criava e do lado de quem a criticava. Vista à distância, essa polêmica serviu para registrar que uma fase nova se consolidava no setor, no qual não cabiam mais aventureiros intermitentes. Posicionavam-se muitos, quase a maioria.

Como ênfase da tarefa suada e suja, a metáfora preferencial de Lygia nesse preâmbulo a *Antes do Baile Verde*, a emoção mal contida ia de encontro à figura de moça bem posta, egressa da classe média a que pertencia e que, anos antes, cumprira seu *droit de passage* pela Faculdade do Largo São Francisco, exatamente quando, nela, parte significativa e esclarecida do alunado masculino forçava a retranca da ditadura getulista, escapando do pátio interno da faculdade para as manifestações de rua. Temperada pela qualidade intelectual dessa convivência, pelos recursos minguantes de uma família errática, pelo emprego de barnabé em repartição do Estado e pela vidinha na pensão modesta, Lygia foi afiando as unhas, a ponto de afirmar, anos depois, no preâmbulo da primeira edição, que os prosadores daquele momento não tinham nenhuma intenção de "ocultar as mãos sujas de barro, mesmo que não deixassem, no edifício acabado, vestígios sequer dos necessários andaimes".

Se esse texto introdutório desapareceu das edições posteriores de *Antes do Baile Verde*, não desaparece, entretanto, a possibilidade de encarar a posição estética desse livro equivalente à de *Ciranda de Pedra* (1954), romance que, no entendimento de Antonio Candido, sempre repetido aqui e ali, estabeleceu a maturidade da escritora. *Ciranda de Pedra* e *Antes do Baile Verde* cumprem a mesma função ao consolidarem a carreira da romancista e da contista. Porque *Antes do Baile Verde* estabelece, de forma nítida, a vontade estética da autora, independente dos vaivéns editoriais.

Essa aproximação crítica faz sentido se dois argumentos, de natureza diversa entre si, forem convocados para reforçá-la: um de caráter externo e estrutural; o outro de caráter formal.

Primeiro, o de caráter externo e estrutural.

Entre 1938 e 1965, Lygia publicou cinco livros de contos e uma antologia antes de *Antes do Baile Verde*: *Porão e Sobrado* (1938); *Praia Viva* (1944); *O Cacto Vermelho* (1949), *Histórias do Desencontro* (1958); *Histórias Escolhidas* (1961); *O Jardim Selvagem* (1965).

Por desejo expresso da autora, *Porão e Sobrado*, *Praia Viva* e *O Cacto Vermelho* não fazem mais parte de sua bibliografia e não deverão mais ser reimpressos, portanto. Tornaram-se pepitas de colecionadores. Em inúmeros depoimentos, a alegação clássica e reiterada de Lygia é de que "num país como esse, onde ninguém lê nada, ficar lendo coisas da juventude, as juvenilidades de um escritor, é perda de tempo!".

Histórias Escolhidas é a primeira antologia de seus contos. Excluindo-as por causa de seu princípio editorialmente seletivo e somando-se todos os demais contos dos outros cinco volumes, chegamos perto de sessenta textos, dos quais Lygia peneirou apenas dezesseis para a edição de *Antes do Baile Verde*, publicada em 1970 pela primeira vez.

Diferente, pois, do figurino nitidamente editorial de *Histórias Escolhidas*, *Antes do Baile Verde* é antologia pessoal, é escolha do artista. Seu ordenamento, baseado em vontade estética, não deixa dúvidas quanto a isso. Vontade que, aliás, já tinha ficado mais que explícita um pouco antes, em 1961, quando foram publicadas as *Histórias Escolhidas*. Fazendo questão de ressaltar que essa antologia tinha sido organizada em função de um determinado recuo temporal, que não ultrapassava 1949, ano de *O Cacto Vermelho*, a contista foi categórica e disse: "E se não foram aproveitados contos publicados anteriormente ao ano de 49, é porque a autora prefere que esses prematuros voltem ao limbo e lá durmam o sono eterno dos que não deveriam ter nascido". Tamanha determinação não admite disputa, sobretudo se dermos atenção à terminologia teológica, ligeiramente dogmática.

Não cabe, é claro, incomodar a escritora em busca de respostas para a decisão de ter resolvido que apenas dezesseis contos devem compor o conjunto de *Antes do Baile Verde*. Isso é tarefa para jornalista, cuja função é, por natureza, mais noticiosa. É graças a eles, por exemplo, que ficamos sabendo, em diversas entrevistas de Lygia, que a escritora defende o direito inalienável do artista de escolher aquilo com que melhor se identifique dentro de sua criação, mesmo que essa atitude desoriente seus críticos e estudiosos.

Se não cabe o incômodo, cabe, no entanto, o direito de especular em torno das escolhas, com base na leitura íntima dos textos.

E aqui entra o segundo ponto da aproximação mencionada. Um segundo ponto que abandona a face externa da composição do livro e mergulha na matéria própria de que são constituídas a forma e a intimidade do texto literário e artístico. Uma especulação, portanto, que atenta mais para o lado estético dos contos que para a escolha que os levou a ocupar determinado lugar na composição do livro.

Entre nossos críticos de renome, alguns deles se acercaram de Lygia de modo mais contínuo. Da leitura aleatória de seus artigos, é possível extrair observações comuns e reiteradas, pistas eficazes para a compreensão técnica e temática dessa contista, de bonomia enganosa. Nos artigos de José Paulo Paes, Nelly Novaes Coelho, Fábio Lucas, Sonia Regis e Silviano Santiago há afirmações críticas relevantes, seja no plano técnico, seja no temático. Recuperadas de forma aleatória, essas afirmações ensinam que, nos contos dessa intérprete da burguesia urbana paulista, o leitor encontrará: "obliquidade do simbólico" e "situações de desencontro" (José Paulo Paes); "criaturas interiormente desarvoradas" e "solidão ontológica" (Nelly Novaes Coelho); "questionamento dos limites da verdade aparente" (Sonia Regis); "lugar ficcional híbrido e espaçoso" e "palpabilidade dos objetos" (Silviano Santiago); "gosto da magia e do fantástico, estilo pontilhado de oralidade" e "jogo alternativo entre o amor e a morte" (Fábio Lucas).

Ocorrências como essas tornaram-se, com o tempo, marca registrada de sua escritura, verdadeiros estilemas que conferem individualidade artística aos diversos contos de Lygia. Neles, o traço mais saliente, a nosso ver, é o da microscopia, procedimento técnico que exige mão firme e fina. "Herbarium", conto que não faz parte deste livro, mas de *Seminário dos Ratos* (1977), exemplifica bem esse procedimento. Sua trêfega personagem jovem emblematiza, de forma clara, essa inclinação de Lygia Fagundes Telles à microscopia.

Diz a crítica que *Seminário dos Ratos* surgiu como resposta oblíqua à repressiva situação política brasileira, criada com o golpe de 64.

Concorre para essa afirmação a presença de alguns contos no livro, sobretudo o último, cujo título nomeia o volume. Sem descartar essa hipótese — bem plausível, aliás — não custa arriscar uma outra: a de que, nos anos 1970, expande-se a maturidade artística de Lygia, de que são bons exemplos *Antes do Baile Verde*, surgido em 1970, *As Meninas* (1973), *Seminário dos Ratos* (1977) e *A Estrutura da Bolha de Sabão* (1978). E mais: nessa década, seus contos e romances exibiam apuro formal decisivo, que não pode sofrer a pecha de formalismo escapista, uma vez que essa maturidade artística consistia exatamente nessa habilidade em mesclar qualidade formal com atenção àquilo que se passava no entorno. Em construção elegante e discreta, no entanto. Como convém a uma grande dama, que nunca se cansou de admirar, com inveja, o movimento sinuoso dos felinos, de aparência displicente, mas de olhar certeiro, que esquadrinha.

Ao dedicar sua atenção ao efeito corrosivo que resulta da relação humana próxima demais e sistemática demais, Lygia lembra, em parte, a guria apaixonada pelo primo distante de "Herbarium". O gesto bisbilhoteiro da narradora, moleca enxerida e *en fleur*, imita, de forma impecável, o comportamento narrativo da própria autora, que enxerga miúdo e no escuro. As duas se parecem muito na maneira de investigar as realidades ocultas e os traços subjacentes dos seres e dos objetos. Devagarinho, vão cutucando a superfície, movidas pela curiosidade de quem não se satisfaz com as aparências, porque as sabem enganosas. No caso da menina de "Herbarium", sua irrefreável curiosidade juvenil converte-a em aprendiz, sempre disposta a absorver o novo e a divulgá-lo, com a mesma agilidade. Para a menina convergem, portanto, as novidades, que dela partem em seguida para os que a ouvem (como nós), mas principalmente para o primo jovem por quem anda apaixonada.

Para melhor explicar essa identificação entre a menina e a voz narrativa é preciso, no entanto, oferecer mais dados sobre "Herbarium": de repente, uma casa interiorana e rural, constituída por três irmãs adultas e a filha sapeca de uma delas, vê-se na contingência de acolher "um vago primo botânico convalescendo de uma vaga doença".

Como é de praxe em situações como essa, a presença inesperada de um estranho, vindo da cidade, mexe com a ordem inicial.

Entre as quatro mulheres, quem mais se perturba com o "vago primo botânico" é a narradora púbere, até então habituada apenas à presença da mãe e das tias, todas mais velhas. Atordoada e sem saber como lidar com o sabichão, que veio da cidade grande, a narradora começa por breve retorno ao passado próximo, forçando-se em busca de seus vagos conhecimentos de latim. "'Você já viu um herbário?' ele quis saber. // *Herbarium*, ensinou-me logo no primeiro dia em que chegou ao sítio." Recuperada da surpresa inicial, a menina logo se vê individualizada e valorizada com a atenção que o primo lhe dedica ao convidá-la para ser sua assistente informal.

Convite aceito no ato, a menina assimila depressa os trejeitos da nova atividade, tentando expandir seu vocabulário ralo e contrair seus gestos afoitos. Quando o primo lhe oferece uma folha para exame, por exemplo, cria-se uma situação que bem reflete a nova cautela gestual da caipirinha, ansiosa para se tornar mulher:

> Ele me deu a lupa e abriu a folha na palma da mão: "Veja então de perto". Não olhei a folha, que me importava a folha?, olhei sua pele ligeiramente úmida, branca como o papel com seu misterioso emaranhado de linhas, estourando aqui e ali em estrelas. Fui percorrendo as cristas e depressões, onde era o começo? Ou o fim? Demorei a lupa num terreno de linhas tão disciplinadas que por elas devia passar o arado, ih vontade de deitar minha cabeça nesse chão. Afastei a folha, queria ver apenas os caminhos. O que significa este cruzamento, perguntei e ele me puxou o cabelo: "Também você, menina?!".

A repreensão do primo susta o gesto, mas tarde demais. A suspeita do enigma, escondido sob aquele *cruzamento*, já fora feita e — o que é pior — comunicada ao leitor que, picado pela curiosidade, fica sem saber a resposta. Nem a menina, nem nós. Igualzinho à menina, ficamos suspensos e mordidos pelo vazio da resposta que, simplesmente, não existe, nem mesmo por um vago indício, tão vago quanto o primo. O "vago primo" deixou-nos a todos no vago.

De nada adiantou escarafunchar a pele do primo com lupa; de nada adiantou esgravatá-la de forma impiedosa, a ponto de nela surpreender um "emaranhado de linhas, estourando aqui e ali em estrelas"; de nada adiantou perceber nela "as cristas e depressões". Tamanho realismo — enganoso, diga-se de passagem — levou a quê? A nada. À mesma incerteza do começo, de quando o primo chegara misterioso e sem maiores dados que o identificassem. À mesma incerteza deve ser exagero. Talvez seja o caso de dizer que nos levou a incerteza maior, agora magnificada pelo poder invasivo da lupa, que expandira os detalhes, embora não os explicasse. Como instrumento artificial para saciar a curiosidade da menina, a lupa apenas inchava a curiosidade dela... e a nossa.

A nosso ver, não é outro o comportamento narrativo desta narradora.

Sua atitude preferencial é bisbilhotar, devassar, empilhar detalhes, cuja conexão interna, se houver, fica a cargo do leitor, seu parceiro no jogo. Será gosto herdado do pai?, que deve tê-la cansado de tanto ouvir "Jogo na mesa, senhores. Façam suas apostas, por favor!". Porque os dados, Lygia lança. Ao leitor, cabe a chance de articulá-los, sem demonstrar ansiedade, nem receio.

Antes, quando tocamos na questão das edições diferentes de *Antes do Baile Verde*, pusemos de lado um aspecto importante: a posição inarredável do primeiro e do último conto do livro, "Os Objetos" e "O Menino", verdadeiros pórticos de entrada na ficção de Lygia. Se quisermos nos acercar mais dessa literatura, esse é um detalhe que não deve ser menosprezado, ainda que externo à fatura textual.

Apesar das alterações editoriais ao longo do tempo, parece sintomático que esses dois contos permaneçam firmes em suas posições, como que atestando, guarnecendo e balizando as linhas mestras da prosa de Lygia. Igual a dois leões de chácara protegendo a entrada e a saída de *Antes do Baile Verde*, "Os Objetos" e "O Menino" funcionam como referências da versatilidade temática e técnica da contista, além de demarcarem um arco cronológico. Separados por cerca de vinte anos, pois que um é de 1949 e o outro é de 1970, esses dois contos carregam em si um mostruário dos traços técnicos e temáticos que organizam esse universo narrativo, feito mais de contos que de romances. Uma leitura vagarosa de ambos, fachos que iluminam a ficção de Lygia Fagundes Telles, permite-nos algumas observações, extensivas aos demais contos seus.

Foi Wilson Martins um dos que formularam juízo apropriado sobre a escritora. Em 1966, diante do recém-lançado *O Jardim Selvagem*, o crítico de *Pontos de Vista* observou que "as inclinações naturais de Lygia Fagundes Telles vão mais para a atmosfera do que para a intriga e a ação". Na somatória posterior de seus contos, essa verdade se relativiza, desde que não se pretenda o levantamento estatístico e numérico, engodo de muitos.

"Os Objetos", primeiro conto deste livro, indica bem essa tendência à atmosfera rarefeita, na qual o silêncio, a hesitação, a fala entrecortada, a observação que não se fecha, a reticência prolongada, a lembrança vadia, o objeto carregado de memória cumprem papel decisivo, mais eficiente que o da exposição pessoal aberta. No desvão do relacionamento é que se escondem as marcas de sua energia e de sua autenticidade. Nele, a sedução tátil das formas esféricas — das bolas, das bolhas, dos pesos de papel, dos globos e dos botões — compete com o prazer visual. Por causa delas, resta-nos a impressão de que a curvatura das esferas os impele ao escorregão, ao devaneio, à ausência temporária.

A rigor, mais que a sedução despertada pelos objetos caseiros e miúdos, o que está em causa em "Os Objetos" é o próprio evasionismo que o cotidiano favorece, desviando o personagem de seus afazeres imediatos, como forma de suspensão provisória da realidade. Em geral, essas pequenas formas esféricas deformam os arredores, ao refletirem suas cores. Combinado com a curvatura que desliza, essa deformação colorida estimula a suspensão do momento, no qual a conversa se arrasta.

No flagrante entre Miguel e Lorena, a prosa distraída entre os dois perambula sem rumo fixo, saltitando de objeto em objeto: do "globo de vidro" para a "bolha de sabão"; da "bolha de sabão" para os dentes de Miguel; dos seus dentes para o vestido da princesa; do vestido da princesa para o "peso de papel"; do "peso de papel" para o anjinho; do anjinho para o colar, e assim por diante. Se a conversa é errática e evasiva, mais errático ainda é o comportamento de Miguel, que não se fixa em nada, que não se ocupa de nada, parecendo que tem bicho-carpinteiro. Na conversa entre Miguel e Lorena o que menos importa é o que dizem. É conversa que rola de modo aleatório, como as formas esféricas que recheiam o conto.

Naquele relacionamento automático e descascado, o presente não passa de pretexto para evocar o passado, de verificação sempre mais difícil, porque distante. O que os une são os objetos que, um dia, foram de interesse recíproco: o peso de papel, o anjinho, a adaga, a bandeja, a gravura etc.

Com a desculpa de comprar biscoito para o chá, Miguel escapa da presença de Lorena, cruza a portaria do prédio e nem responde ao comentário do porteiro. Afastando-se na "direção da rua", seu único movimento decidido, Miguel ignora-o, não lhe responde o cumprimento fático e escapole pela noite, dando as costas a todos, a nós inclusive. Seu comportamento incerto e sinuoso não favorece a clareza, nem a objetividade. Mas favorece a dúvida e a curiosidade que, aliás, serão as constantes da maioria dos contos deste livro, cujos finais preferem a incerteza, não obstante o acúmulo de detalhes anteriores que, em princípio, deveriam esclarecer e não confundir. Na ficção de Lygia Fagundes Telles, o final não é, forçosamente, conclusivo. Antes, pelo contrário.

Nessa linha de raciocínio, constata-se que o detalhamento compulsivo de suas estórias é pista falsa e que pouco concorre para a compreensão do comportamento de seus personagens. Foi a pique a causalidade dos gestos encadeados e explicáveis, substituída pelo arbítrio do cotidiano imprevisível, congelado no instante flagrado. O momento brevíssimo, que põe tudo a perder e compromete o equilíbrio aparente que reinava antes, um dos estratagemas favoritos de Lygia, nem sempre produz efeitos catastróficos imediatos. Como convém à conduta refinada dessa autora, incapaz de estardalhaços, não cabe a violência externa. Quando surge, em desvios de rota como "Helga" ou "Venha Ver o Pôr do Sol", o contraste intensifica, rápido, a insídia aninhada nas outras narrativas, onde fermenta o gesto breve e surpreendente, capaz de lesões emocionais prolongadas e marcantes, como se fora um hematoma que cresce bem devagarinho, sem nenhuma pressa para desaparecer. Em suma: sem alarde, o mal se instala e vai deglutindo, aos poucos, o que de saudável ainda restava na constituição psicológica dos personagens. Tem início, então, a corrosão das expectativas, marca registrada desta escritora, que seduz pela brandura inicial, de que faz parte o personagem de aparência neutra ou inocente, rodeado de relativo conforto material, difícil de explicar os desatinos posteriores. Sem nenhum manifesto político nas mãos ou na cabeça, os narradores de Lygia Fagundes Telles carcomem seus personagens, surpreendendo-os em movimentação livre e com tendência à autocorrosão. O desgaste da maioria desses personagens não vem de uma injustiça social flagrante, mas do solapamento progressivo e abafado de suas ilusões. Como mágoa burguesa não suporta barulho, seguem-se a discrição e o recalque, às vezes. Disso dão bom exemplo os livros de Paulo Emílio Sales Gomes e de Zulmira Ribeiro Tavares, companheiros de Lygia nessa literatura do sufoco.

Bom exemplo dessa linha narrativa é o último conto deste livro, não por acaso o mais antigo da série, mas ainda capaz de iluminar os demais e de orientar o leitor novato, que enfrenta Lygia Fagundes Telles pela primeira vez.

A quebra súbita da confiança, a desilusão macerada, o encanto que se parte de modo irremediável mostram-se de forma quase didática em "O Menino", personagem atônito que, por paradoxo, descobre o segredo familiar em lugar fechado, abafado, mal iluminado, mas público: no "escurinho do cinema".

O menino não tem nome. Nem sua mãe, nem seu pai. São personagens identificados apenas pelos laços íntimos, que o menino acreditava fortes. Bem instalado no início do conto, nada diria que seu conforto material e sua segurança afetivas poderiam sofrer abalo. Do seu ponto inicial de observação privilegiada, encarapitado sobre um tamborete, nada restava a ele senão contemplar a beleza da mãe e antecipar o gozo do passeio, prazeres que se emendavam com perfeição, um prolongando o outro.

> Sentou-se num tamborete, fincou os cotovelos nos joelhos, apoiou o queixo nas mãos e ficou olhando para a mãe. Agora ela escovava os cabelos muito louros e curtos, puxando-os para trás. E os anéis se estendiam molemente para em seguida voltarem à posição anterior, formando uma

coroa de caracóis sobre a testa. Deixou a escova, apanhou um frasco de perfume, molhou as pontas dos dedos, passou-os nos lóbulos das orelhas, no vértice do decote e em seguida umedeceu um lencinho de rendas. Através do espelho, olhou para o menino. Ele sorriu também, era linda, linda, linda! Em todo o bairro não havia uma moça linda assim.

Sem direito a nome, como seu pai e sua mãe, o menino se transforma, em pouquíssimo tempo, à revelia de si mesmo. Ao cinema, para onde o conduziu a mãe, foi moleque e voltou homem. Mesmo sem consciência dessa mudança, à mãe que lhe pede para andar de mãos dadas, resmunga, amuado: "não sou mais criança".

Em questão de horas, a confusão mental e emocional do menino cresce como enxurrada de verão. Do encanto inicial pela mãe passa ao orgulho de tê-la a seu lado, caminhando pelas ruas do bairro e exibindo-a para os colegas; da confiança, ao entrarem no cinema, passa à impaciência, porque a mãe não se decidia pelo lugar, já começada a sessão; do sossego, depois de bem acomodado na poltrona (igual ao pai que ficara em casa...), passa ao estupor, quando percebeu "a mão pequena e branca, muito branca" da mãe pousar "devagarinho nos joelhos do homem que acabara de chegar"; da angústia que esse movimento furtivo gerou passa à zanga contra a mãe; dessa irritação pontual passa à ternura com o pai, ao reencontrá-lo em casa, com os "cabelos grisalhos. Os óculos pesados. O rosto feio e bom". Bastara-lhe breve ausência de casa para, no retorno, vê-la desfeita, partida em duas, feito as minhocas grudentas que "cortava para o anzol". Entre os dois momentos, um filme de outra guerra, que não a sua.

Mas os sinais que levariam a essa transformação, a narradora, com o jeito inocente de quem não quer nada, já vinha antecipando. Pena que o menino, mais inocente ainda, deles não se desse conta. E nem podia, absolutamente fascinado que estava com a companhia da mãe e com a sessão de cinema. Pouco antes que a "mão pequena e branca" da sua mãe procurasse o joelho do homem estranho, o garoto não percebera uma discreta coreografia protelatória e logística, de que fora objeto cativo e indefeso. Tão edipiano, tão inexperiente e tão excitado com o filme na tela, o menino não percebera um outro mais real, que se passava diante dele. Não percebeu que a mãe fingia-se de calma, ao ficar "tranquilamente encostada a uma coluna, lendo o programa"; não percebeu que ela, ansiosa, o despachara para o balcão de chocolates; não percebeu que, de repente, a impaciência tomou conta dela; não percebeu que, em plena sala escura, a mãe procurava determinado lugar e não um lugar qualquer; não percebeu que o carinho inicial, expresso pelo beijo perfumado, fora substituído pelo corretivo apertão no braço; não percebeu que a mãe nada fizera para que o filho ocupasse a "poltrona vazia ao lado dela". Que acabou sendo ocupada por um homem desconhecido. Para ele.

A disputa entre filho e mãe foi surda, porque no cinema não se fala; e cega, porque no cinema a luz é pouca. Além disso, era secreta. Toda a tensão dessa contenda carece de estridência, de clareza, de movimento forte, porque, além de secreta, ela se faz em surdina como a do saxofone de outros contos.

Mas o prenúncio maior do desastre a caminho é de caráter visual. É a imagem, estrategicamente interposta entre o menino e a tela, daquela "cabeçona da mulher na sua frente indo e vindo para a esquerda, para a direita, os cabelos armados a flutuarem na tela como teias monstruosas de uma aranha. Um punhado de fios formava um frouxo topete que chegava até o queixo da artista".

O vaivém da cabeçona que busca o melhor ângulo acentua o emaranhado do cabelo, bloqueia a tela e prejudica o menino. Na aflição de enxergar o filme, o garoto emenda, de modo confuso, o topete da mulher com o "queixo da artista", em simbiose indevida, mas divertida. Na "mocinha de cavanhaque", emendava-se o virtual do filme com o real da plateia. Se por causa dessa misturança armaram-se "teias monstruosas" não foram apenas as da aranha. Armaram-se também outras, nas quais se precipitaria e se enredaria, inocente, o menino. Se escapar da teia seca, que emaranha, o garoto escorrega para a minhoca viscosa, que enoja.

Uma vez superada essa dificuldade, com a saída da "mulher da poltrona da frente", está vencida essa barreira, que se revela apenas uma preliminar simbólica. O pior ainda estava por vir e veio. Porque o inimigo não enfrentava o menino de peito aberto. Não vinha da frente, da tela clara onde se exibia um dilema amoroso em plena guerra. Vinha do lado e tirava partido dos obstáculos da percepção visual, fosse pelo escuro da sala, fosse pela lateralidade da movimentação sorrateira. Acreditando-se protegido em sua trincheira, o menino não sente que ela se converte em toca, lugar favorável à existência de bichos. O mesmo bicho em que se transforma sua mãe, cuja "mão pequena e branca a deslizar no escuro como um bicho".

Colhido de surpresa, o garoto viu no cinema o que não via em casa. Mudaram o filme sem avisá-lo. A partir desse baque, nada permanece igual. Tudo se retesa, primeiro; e se transforma, em seguida. Para pior. O corpo do menino se crispa ao contato da mão materna; ele se nega a dar-lhe a mão; mente que o dente lhe dói; fere os lábios; finge-se de sabido; perde a voz.

O único que não se transformou foi o pai, "feio e bom", que continuava protegido pelo aconchego da poltrona caseira, ao contrário da esposa, que saíra de casa, escoltada pelo anjo, agora decaído.

A conversa errática e descosida entre Miguel e Lorena, que se esforçam para preencher uma relação rica de passado, mas pobre de presente, combina com o estupor do menino, cuja mãe se desmanchou na sua frente. No caso de Miguel e Lorena, o vazio do presente se preenche a martelo. No caso do menino, o presente se desfaz por outro tipo de golpe. Os adultos vivem de seu passado. O menino afogou-se em seu passado. A diferença entre eles é que os adultos arrastarão suas lembranças como sobrevida. E o menino? A ele só lhe cabe a tarefa de construir um futuro afetivo, onde sempre haverá o vácuo materno.

E, de vazio em vazio, caminham os demais personagens dos contos de *Antes do Baile Verde*, apesar da falsa promessa de festa que o título encerra.

No conto de mesmo nome, aliás, configura-se uma oposição espacial marcante, boa estratégia da malícia felina de Lygia Fagundes Telles, que, machadianamente, disfarça, mostrando.

Afobadas para terminar a roupa de carnaval, Lu e Tatisa divertem-se com a passagem do rancho. Debruçadas na janela, as duas assistem à reverência galante do "negro do bumbo", que as cumprimenta com "seu chapéu de três bicos, fazendo rodar a capa encharcada de suor". Vista de fora, a cena externa é preenchida com festa, movimento, música, colorido e a memória de um passado de luxo, encarnada pelos "passistas vestidos à Luís XV". Atrás das duas, no entanto, dentro da casa, agoniza o pai de Tatisa. O contraste impiedoso entre o *externo* e o *interno*, entre o visível e o invisível, entre o patente e o latente, entre o audível e o surdo mostra-se outra alternativa para ingressarmos no universo dessa gente que cultiva a fachada, esquecidos de que uma boa escritora os espreita, pronta para desmenti-los. Como antídoto ao barulho da festa, esta escritora oferece o murmúrio, que bem se casa com a elegância permanente de vários colares de pérola, espalhados aqui e ali. Só para despistar.

Não disse que era para desconfiar do ron-ron de Lygia Fagundes Telles?

ANTONIO DIMAS é professor titular de literatura brasileira na Faculdade de Filosofia, Letras e Ciências Humanas da Universidade de São Paulo (FFLCH-USP).

Rio, 28 janeiro 1966.

Lygia querida:

[...] me regalaram com um livro de contos que é o fino e no qual o meu santo nome aparece no ofertório de uma das histórias mais legais, intitulada "A Chave", em que por trás da chave há um casal velho-com-moça e uma outra mulher na sombra, tudo expresso de maneira tão sutil que pega as mínimas ondulações do pensamento do homem, inclusive esta, feroz: chateado de tanta agitação animal da esposa, com o corpo sempre em movimento, o velho tem um relâmpago: "A perna quebrada seria uma solução...". Por sinal que comparei o texto do livro com o texto do jornal de há três anos, e verifiquei o minucioso trabalho de polimento que o conto recebeu. Parece escrito de novo, mais preciso e ao mesmo tempo mais vago, essa vaguidão que é um convite ao leitor para aprofundar a substância, um dizer múltiplo, quase feito de silêncio. Sim, ficou ainda melhor do que estava, mas alguma coisa da primeira versão foi sacrificada, e é esse o preço da obra acabada: não se pode aproveitar tudo que veio do primeiro jato, o autor tem de escolher e pôr de lado alguma coisa válida.

[...]

O livro está perfeito como unidade na variedade, a mão é segura e sabe sugerir a história profunda sob a história aparente. Até mesmo um conto passado na China você consegue fazer funcionar, sem se perder no exotismo ou no jornalístico. Sua grande força me parece estar no psicologismo oculto sob a massa de elementos realistas, assimiláveis por qualquer um. Quem quer simplesmente uma estória tem quase sempre uma estória. Quem quer a verdade subterrânea das criaturas, que o comportamento social disfarça, encontra-a maravilhosamente captada por trás da estória. Unir as duas faces, superpostas, é arte da melhor. Você consegue isso. Tão diferente da patacoada desses contistas que se celebram a si mesmo nos jornais e revistas e a gente lê e esquece o que eles escreveram! Conto de você fica ressoando na memória, imperativo.

Ciao, amiga querida. Desejo para você umas férias tranquilas, bem virgilianas.

O abraço e a saudade do
Carlos

A Beleza Secreta da Vida

DEPOIMENTO / URBANO TAVARES RODRIGUES (2005)

Lygia Fagundes Telles teve finalmente o prêmio Camões, que há muito merecia, pela infinita riqueza da sua obra literária, tão brasileira e universal, tão sutil e mágica, tão realista na análise social e na indagação do mais fundo e contraditório dos seres humanos.

Suas personagens atuam e revelam-se na tênue fronteira entre o banal cotidiano, a vida fremente de grandes metrópoles como São Paulo e as redes do fantástico.

Esses dois polos, o da observação — atenta, irônica e implacável na suavidade — dos eventos comuns e, por outro lado, a súbita ocorrência do estranho, do inesperado, do fantástico, acabam por se harmonizar no mundo ficcional de Lygia Fagundes Telles graças à arte, sempre em evolução, das suas construções narrativas e ao milagre de uma escrita oral cheia de humor e de surpresas, que vira as situações ou cria duplos planos. Assim se abrem perspectivas várias à compreensão de uma história, do comportamento de uma personagem. Digamos que Lygia Fagundes Telles, romancista igualmente sortílega do passado remoto (*Ciranda de Pedra*) ou do palpitante presente, de uma crise social e política (*As Meninas*) ou ainda da temperatura de uma época, suas opções e formas de vida (*As Horas Nuas*, *Invenção e Memória*, *A Disciplina do*

Amor), consegue aliar a pertinência da análise à solidariedade e brilho dos diálogos, à capacidade de diagnóstico e adivinhação.

E, contudo, com esses seus dons e talentos de narradora de fôlego, é talvez nas suas novelas e contos que Lygia atinge o virtuosismo, diferente de todos, hábil, lúcida e insólita nas histórias que entretece, na articulação dos atos e palavras com os movimentos interiores do eu, na graça e leveza da sua escrita tão rica de tropismos e pressentimentos, nas piruetas bruscas com que, tal ilusionista, nos faz viajar entre o sonho e a vida acordada, o amor, a melancolia e a morte, o pulsar das grandes cidades, o silêncio e a solidão e o desvendamento dos desvãos da alma.

É assim, desde as suas tão ambíguas e fascinantes *Histórias do Desencontro* às agudezas psicológicas e às descobertas de *Antes do Baile Verde*, à mestria espetacular de *Seminário dos Ratos*, à renovação incessante das suas técnicas e do seu inventário das contradições humanas, que culmina, agridoce e cruel, sempre desconcertante, nos textos inovadores, quase inultrapassáveis, de *A Noite Escura Mais Eu*.

Na sua vasta produção de contadora nata sempre a reinventar--se, a variar os tons, a criar novas estruturas narrativas e maneiras de dizer, Lygia Fagundes Telles acrescenta à sua capacidade demiúrgica todas as luzes e astúcias do discurso, aparentemente espontâneo, tão pronto a despertar e modular emoções como a gerir as gamas do sorriso esboçado ou da ironia que queima, feiticeira do destino absurdo e da loucura cibernética das grandes selvas de betão onde confluem e por vezes se misturam os rios subterrâneos do bem e do mal. Lygia é uma feiticeira generosa, exímia a desocultar nas suas ficções a beleza secreta da vida que às vezes mora por detrás dos esgares da pobreza e da doença ou se oculta no tumulto dos interesses e competições, da violência fria que abunda nos salões e nos terraços dos que tudo parecem comprar e dominar.

Lygia revela o outro lado da vida, seja o crime que não tem castigo, seja a complexidade do que parece evidente, seja a dor que se insinua na euforia.

É já muito antigo o nosso convívio, que começou em São Paulo em 1958, quando aí visitei meu irmão Miguel, já então no exílio, e seu amigo, e discutimos, eu e ela, os nossos livros, os nossos projetos, os nossos sonhos. Cruzamo-nos quantas vezes em Lisboa, no Rio de Janeiro e de novo em São Paulo e pelo mundo fora, onde o eco da sua obra ia aumentando, através de traduções, de críticas, de trocas de opiniões.

Ainda recentemente eu havia estranhado em público que Lygia Fagundes Telles não tivesse obtido até agora o prêmio Camões. Houve um tempo em que aqui em Portugal todos, intelectuais e simples leitores, visitavam os seus livros e se encantavam com a exuberância e finura dos seus processos enunciativos ou se descobriam, perturbados, nos efeitos de contraluz, na velatura das suas personagens.

Quando estive encarcerado no Aljube e em Caxias, em 1963 e em 1968, Lygia Fagundes Telles apareceu na primeira linha dos escritores brasileiros que elevaram a sua voz, em reuniões e comícios, exigindo a minha libertação e a de outros presos políticos, como Alves Redol e Alberto Ferreira, e depois Mário Soares e Francisco de Sousa Tavares, entre muitos mais intelectuais e antifascistas presos.

Escrevemo-nos de longe a longe sempre com afeto e ternura. Desta Lisboa, que Lygia Fagundes Telles conhece bem e deslumbradamente recorda (como ao Porto e o seu rio cantante, cenário de um seu conto maravilhoso) quero agora enviar-lhe, com este texto, um abraço grande, impregnado de toda a minha admiração pela escritora multiforme, hiperconsciente na sua reinvenção irônica e comovida do mundo, solidária na sua escrita acerada, cintilante de humor e compreensão de tudo o que é humano. E nesse abraço vai também o meu reconhecimento sempre vivo pela sua grandeza de alma.

A Autora

Lygia Fagundes Telles nasceu em São Paulo e passou a infância no interior do estado, onde o pai, o advogado Durval de Azevedo Fagundes, foi promotor público. A mãe, Maria do Rosário (Zazita), era pianista. Voltando a residir com a família em São Paulo, a escritora fez o curso fundamental na Escola Caetano de Campos e em seguida ingressou na Faculdade de Direito do Largo São Francisco, da Universidade de São Paulo, onde se formou. Quando estudante do pré-jurídico cursou a Escola Superior de Educação Física da mesma universidade.

Ainda na adolescência manifestou-se a paixão, ou melhor, a vocação de Lygia Fagundes Telles para a literatura, incentivada pelos seus maiores amigos, os escritores Carlos Drummond de Andrade, Erico Verissimo e Edgard Cavalheiro. Contudo, mais tarde a escritora viria a rejeitar seus primeiros livros porque em sua opinião "a pouca idade não justifica o nascimento de textos prematuros, que deveriam continuar no limbo".

Ciranda de Pedra (1954) é considerada por Antonio Candido a obra em que a autora alcança a maturidade literária. Lygia Fagundes Telles também considera esse romance o marco inicial de suas obras completas. O que ficou para trás "são juvenilidades". Quando da sua publicação o romance foi saudado por críticos como Otto Maria Carpeaux, Paulo Rónai e José Paulo Paes. No mesmo ano, fruto de seu primeiro casamento, nasceu o filho Goffredo da Silva Telles Neto, cineasta, e que lhe deu as duas netas: Lúcia e Margarida. Ainda nos anos 1950, saiu o livro *Histórias do Desencontro* (1958), que recebeu o prêmio do Instituto Nacional do Livro.

O segundo romance, *Verão no Aquário* (1963), prêmio Jabuti, saiu no mesmo ano em que já divorciada casou-se com o crítico de cinema Paulo Emílio Sales Gomes. Em parceria com ele escreveu o roteiro para cinema *Capitu* (1967), baseado em *Dom Casmurro*, de Machado de Assis. Esse roteiro, que foi encomenda de Paulo Cezar Saraceni, recebeu o prêmio Candango, concedido ao melhor roteiro cinematográfico.

A década de 1970 foi de intensa atividade literária e marcou o início da sua consagração na carreira. Lygia Fagundes Telles publicou, então, alguns de seus livros mais importantes: *Antes do Baile Verde* (1970), cujo conto que dá título ao livro recebeu o Primeiro Prêmio no Concurso Internacional de Escritoras, na França; *As Meninas* (1973), romance que recebeu os prêmios Jabuti, Coelho Neto da Academia Brasileira de Letras e "Ficção" da Associação Paulista de Críticos de Arte (APCA); *Seminário dos Ratos* (1977), premiado pelo PEN Clube do Brasil. O livro de contos *Filhos Pródigos* (1978) seria republicado com o título de um de seus contos, *A Estrutura da Bolha de Sabão* (1991).

A Disciplina do Amor (1980) recebeu o prêmio Jabuti e o prêmio APCA. O romance *As Horas Nuas* (1989) recebeu o prêmio Pedro Nava de Melhor Livro do Ano.

Os textos curtos e impactantes passaram a se suceder na década de 1990, quando, então, é publicado *A Noite Escura e Mais Eu* (1995), que recebeu o prêmio Arthur Azevedo da Biblioteca Nacional, o prêmio Jabuti e o prêmio Aplub de Literatura. Os textos do livro *Invenção e Memória* (2000) receberam os prêmios Jabuti, APCA e o "Golfinho de Ouro". *Durante Aquele Estranho Chá* (2002), textos que a autora denomina de "perdidos e achados", antecedeu o seu mais recente livro, *Conspiração de Nuvens* (2007), que mistura ficção e memória e foi premiado pela APCA.

A consagração definitiva viria com o prêmio Camões (2005), distinção maior em língua portuguesa pelo conjunto da obra.

Lygia Fagundes Telles conduziu sua trajetória literária trabalhando ainda como procuradora do Instituto de Previdência do Estado de São Paulo, cargo que exerceu até a aposentadoria. Foi ainda presidente da Cinemateca Brasileira, fundada por Paulo Emílio Sales Gomes. É membro da Academia Paulista de Letras e da Academia Brasileira de Letras. Teve seus livros publicados em diversos países: Portugal, França, Estados Unidos, Alemanha, Itália, Holanda, Suécia, Espanha e República Checa, entre outros, com obras adaptadas para tevê, teatro e cinema.

Vivendo a realidade de uma escritora do terceiro mundo, Lygia Fagundes Telles considera sua obra de natureza engajada, comprometida com a difícil condição do ser humano em um país de tão frágil educação e saúde. Participante desse tempo e dessa sociedade, a escritora procura apresentar através da palavra escrita a realidade envolta na sedução do imaginário e da fantasia. Mas enfrentando sempre a realidade desse país: em 1976, durante a ditadura militar, integrou uma comissão de escritores que foi a Brasília entregar ao ministro da Justiça o famoso "Manifesto dos Mil", veemente declaração contra a censura assinada pelos mais representativos intelectuais do Brasil.

Lygia Fagundes Telles já declarou em uma entrevista: "A criação literária? O escritor pode ser louco, mas não enlouquece o leitor, ao contrário, pode até desviá-lo da loucura. O escritor pode ser corrompido, mas não corrompe. Pode ser solitário e triste e ainda assim vai alimentar o sonho daquele que está na solidão".

Na página 203, retrato da autora feito por Carlos Drummond de Andrade na década de 1970.

Esta obra foi composta
em Utopia e Trade Gothic
por warrakloureiro
e impressa em ofsete pela
Gráfica Bartira sobre papel
Pólen Bold da Suzano Papel
e Celulose para a Editora
Schwarcz em abril de 2014

A marca FSC® é a garantia de que a madeira utilizada na fabricação do papel deste livro provém de florestas que foram gerenciadas de maneira ambientalmente correta, socialmente justa e economicamente viável, além de outras fontes de origem controlada.